2014 FIFA World Cup Brazil™

MY GAME IS FAIR PLAY

FIFA

FIFA WORLD CUP Brasil

CONTENTS • INHALT • SOMMAIRE • SOMMARIO • INHOUD • INDICE • İNDICE • İÇİNDEKİLER • SPIS TREŚCI • СОДЕРЖАНИЕ

Goalkeeper • Torhüter • Gardien de but • Portiere • Keeper • Portero • Goleiro • Kaleci • Bramkarz • Вратарь

Defender • Verteidiger • Défenseur • Difensore • Verdediger • Defensa • Defesa • Savunma oyuncusu • Obrońca • Защитник

Midfielder • Mittelfeldspieler • Milieu • Centrocampista • Middenvelder • Medio • Meia • Orta saha oyuncusu • Pomocnik • Полузащитник

Forward • Stürmer • Attaquant • Attaccante • Aanvaller • Delantero • Atacante • Hücum oyuncusu • Napastnik • Нападающий

• **aet**

After extra time • nach Verlängerung • Après le temps additionnel • Dopo i tempi supplementari • Na verlenging • Después de la prórroga • Após tempo extra • Uzatmalar sonrası • Po dogrywce • В дополнительное время

• **pso**

On penalties • nach Elfmeterschießen • Aux tirs au but • Ai rigori • Na penalties • De penalty • Nos pênaltis • Penaltılarda • Karne • Серии пенальти

Contents and data last updated February 2014

FIFA WORLD CUP Brasil OFFICIAL LICENSED PRODUCT

FIFA.com experience the online album: www.FIFA.com/stickeralbum

ROLL OF HONOUR • EHRENTAFEL • PALMARÈS • ALBO D'ORO • ERELIJST • ÁLBUM DE ORO • OS CAMPEÕES • ŞEREF LİSTESİ • LISTA ZWYCIĘZCÓW • ПОЧЕТНЫЙ СПИСОК

1930 | URUGUAY
1934 | ITALIA
1938 | ITALIA
1950 | URUGUAY
1954 | DEUTSCHLAND-BRD
1958 | BRASIL
1962 | BRASIL
1966 | ENGLAND
1970 | BRASIL
1974 | DEUTSCHLAND-BRD
1978 | ARGENTINA
1982 | ITALIA
1986 | ARGENTINA
1990 | DEUTSCHLAND-BRD
1994 | BRASIL
1998 | FRANCE
2002 | BRASIL
2006 | ITALIA
2010 | ESPAÑA
2014 | ....

PROGRAMME • SPIELPLAN • PROGRAMME • PROGRAMMA • PROGRAMMA • PROGRAMA • PROGRAMA • PROGRAM • PLAN ROZGRYWEK • ПРОГРАММА

GROUP STAGE • GRUPPENPHASE • PHASE DE GROUPES • FASE A GRUPPI • GROEPSFASE • FASE DE GRUPOS • FASE DE GRUPOS • GRUP MAÇLARI • FAZA GRUPOWA • ГРУППОВОЙ ЭТАП

A — BRA CRO MEX CMR

12-6	Brasil	Hrvatska		
13-6	México	Cameroun		
17-6	Brasil	México		
18-6	Cameroun	Hrvatska		
23-6	Cameroun	Brasil		
23-6	Hrvatska	México		

1			A1
2			A2

B — ESP NED CHI AUS

13-6	España	Nederland		
13-6	Chile	Australia		
18-6	España	Chile		
18-6	Australia	Nederland		
23-6	Australia	España		
23-6	Nederland	Chile		

1			B1
2			B2

C — COL GRE CIV JPN

14-6	Colombia	Hellas		
14-6	Côte d'Ivoire	Japan		
19-6	Colombia	Côte d'Ivoire		
19-6	Japan	Hellas		
24-6	Japan	Colombia		
24-6	Hellas	Côte d'Ivoire		

1			C1
2			C2

D — URU CRC ENG ITA

14-6	Uruguay	Costa Rica		
14-6	England	Italia		
19-6	Uruguay	England		
20-6	Italia	Costa Rica		
24-6	Italia	Uruguay		
24-6	Costa Rica	England		

1			D1
2			D2

E — SUI ECU FRA HON

15-6	Switzerland	Ecuador		
15-6	France	Honduras		
20-6	Switzerland	France		
20-6	Honduras	Ecuador		
25-6	Honduras	Switzerland		
25-6	Ecuador	France		

1			E1
2			E2

F — ARG BIH IRN NGA

15-6	Argentina	Bosna i Hercegovina		
16-6	Iran	Nigeria		
21-6	Argentina	Iran		
21-6	Nigeria	Bosna i Hercegovina		
25-6	Nigeria	Argentina		
25-6	Bosna i Hercegovina	Iran		

1			F1
2			F2

G — GER POR GHA USA

16-6	Deutschland	Portugal		
16-6	Ghana	USA		
21-6	Deutschland	Ghana		
22-6	USA	Portugal		
26-6	USA	Deutschland		
26-6	Portugal	Ghana		

1			G1
2			G2

H — BEL ALG RUS KOR

17-6	Belgique/België	Algérie		
17-6	Russia	Korea Republic		
22-6	Belgique/België	Russia		
22-6	Korea Republic	Algérie		
26-6	Korea Republic	Belgique/België		
26-6	Algérie	Russia		

1			H1
2			H2

EIGHTH FINALS • ACHTELFINALE • HUITIÈMES DE FINALE • OTTAVI DI FINALE • ACHTSTE-FINALE • OCTAVOS DE FINAL • OITAVAS-DE-FINAL • SEKİZLİ FİNALLER • 1/8 FINAŁÓW • ОДНИ ВОСЬМЫЕ ФИНАЛОВ

28-6-2014 Belo Horizonte

A1			A
B2			

28-6-2014 Rio de Janeiro

C1			B
D2			

29-6-2014 Fortaleza

B1			C
A2			

29-6-2014 Recife

D1			D
C2			

30-6-2014 Brasília

E1			E
F2			

30-6-2014 Porto Alegre

G1			F
H2			

1-7-2014 São Paulo

F1			G
E2			

1-7-2014 Salvador

H1			H
G2			

QUARTER-FINALS • VIERTELFINALE • QUARTS DE FINALE • QUARTI DI FINALE • KWARTFINALE • CUARTOS DE FINAL • QUARTAS-DE-FINAL • ÇEYREK FİNALLER • ĆWIERĆFINAŁY • ЧЕТВЕРТЬФИНАЛЫ

4-7-2014 Fortaleza

A			W
B			

4-7-2014 Rio de Janeiro

E			X
F			

5-7-2014 Salvador

C			Y
D			

5-7-2014 Brasília

G			Z
H			

SEMI-FINALS • HALBFINALE • DEMI-FINALES • SEMIFINALI • HALVE-FINALE • SEMIFINALES • SEMIFINAIS • YARI FİNALLER • PÓŁFINAŁY • ПОЛУФИНАЛЫ

8-7-2014 Belo Horizonte

W		
X		

9-7-2014 São Paulo

Y		
Z		

FIFA quality tests

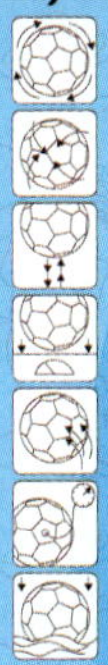

FIFA Quality Programme for Footballs
www.FIFA.com/Quality

MATCH FOR THE 3RD PLACE • SPIEL UM PLATZ 3 • MATCH POUR LA 3e PLACE • FINALE 3° POSTO • WEDSTRIJD OM DE 3DE PLAATS • PARTIDO POR EL 3ER PUESTO • JOGO PARA O 3° LUGAR • ÜÇÜNCÜLÜK MAÇI • MECZ O 3-CIE MIEJSCE • МАТЧ ЗА 3-Е МЕСТО

12-7-2014 BRASÍLIA

FINAL • ENDSPIEL • FINALE • FINALE • FINALE • FINAL • FINAL • FINAL • FINAŁ • ФИНАЛ

13-7-2014 RIO DE JANEIRO

2014 FIFA World Cup Brazil™

Estádio Mineirão (62.329) **Belo Horizonte**

Estádio Nacional (72.741) **Brasília**

Arena Pantanal (44.335) **Cuiabá**

Arena da Baixada (42.247) **Curitiba**

Estádio Castelão (63.819) **Fortaleza**

Arena Amazônia (44.351) **Manaus**

Estádio das Dunas (44.070) **Natal**

Estádio Beira-Rio (47.100) **Porto Alegre**

Arena Pernambuco (45.425) **Recife**

Estádio do Maracanã (78.448) **Rio de Janeiro**

Arena Fonte Nova (54.610) **Salvador**

Arena Corinthians (67.349) **São Paulo**

Stadiums | Stadien | Stades | Stadi | Stadions
Estadios | Estádios | Stadyumlar | Stadiony | Стадионы

Stadium Capacity and Name updated in February 2014 • Stadionkapazität und Name aktualisiert im Februar 2014 • Capacité et nom du stade (mise à jour février 2014) • Nomi e capacità degli stadi sono aggiornati a Febbraio 2014 • Stadion capaciteit en naam zijn geüpdatet in februari 2014 • Capacidad del Estadio y nombre oficial del mismo hasta febrero de 2014 • Capacidade e nome do estádio foram atualizados em fevereiro de 2014 • 2014 Şubat itibarı ile güncel stadyum adı ve kapasitesi • Pojemność Stadionu i Nazwa - dane zaktualizowane na luty 2014r • Название и вместимость стадиона. Информация на февраль 2014

DEVELOP
THE GAME
TOUCH
THE WORLD
BUILD
A BETTER FUTURE
FIFA®
For the Game. For the World.

A Group Gruppe Groupe Gruppo Groep Grupo Grupo Grup Grupa Группа

(BRA) (CRO) (MEX) (CMR)

Brazil Brasilien Brésil Brasile Brazilië Brasil Brasil Brezilya Brazylia Бразилия

São Paulo 12-6-2014

BRASIL	
Hrvatska	

Fortaleza 17-6-2014

BRASIL	
México	

Brasília 23-6-2014

Cameroun	
BRASIL	

Brasil

(BRA) → Confederação Brasileira de Futebol - www.cbf.com.br

Brazil
Brasilien
Brésil
Brasile
Brazilië
Brasil
Brasil
Brezilya
Brazylia
Бразилия

2014 FIFA World Cup Brazil™

Brazil qualified automatically as host nation

Brasilien ist als Veranstalter der Weltmeisterschaft automatisch qualifiziert

Brésil qualifiéée d'office comme pays organisateur de la manifestation

Brasile qualificato d'ufficio come paese organizzatore della manifestazione

Brazilië is automatisch geplaatst als organiserend land

Brasil clasificado de oficio como pais organizador del torneo

Brasil foi qualificado por direito como país organizador da Copa do Mundo FIFA

Brezilya ev sahibi takım olduğundan eleme turlarına katımamıştır

Brazylia zakwalifikowane automatycznie gospodarza narodu

Бразилия автоматически квалифицируются как страны-организатора

BRASIL

Brazil Brasilien Brésil Brasile Brazilië Brasil Brasil Brezilya Brazylia Бразилия

Group Gruppe Groupe Gruppo Groep Grupo Grupo Grup Grupa Группа

Group Gruppe Groupe
Gruppo Groep Grupo Grupo
Grup Grupa Группа

A

(BRA)	(CRO)	(MEX)	(CMR)

São Paulo	12-6-2014
Brasil	
HRVATSKA	

Manaus	18-6-2014
Cameroun	
HRVATSKA	

Recife	23-6-2014
HRVATSKA	
México	

Croatia Kroatien Croatie Croazia Kroatië Croacia Croácia Hırvatistan Chorwacja Хорватия

Hrvatska

(CRO) → Hrvatski Nogometni Savez - www.hns-cff.hr

Croatia
Kroatien
Croatie
Croazia
Kroatië
Croacia
Croácia
Hırvatistan
Chorwacja
Хорватия

2014 FIFA World Cup Brazil™

Europe • Europa • Europe • Europa • Europa • Europa • Europa • Avrupa • Europa • Европа

Group Gruppe Groupe Gruppo Groep Grupo Grupo Grup Grupa Группа		A
HRVATSKA-FYR MAKEDONIJA	1-0	2-1
BELGIQUE/BELGIË-HRVATSKA	1-1	2-1
HRVATSKA-WALES	2-0	2-1
HRVATSKA-SRBIJA	2-0	1-1
HRVATSKA-SCOTLAND	0-1	0-2

Play-off match Entscheidungsspiel Barrage Spareggio Beslissingwedstrijd Desempate Desempate Eleme turları Dogrywka Плэй-оф		
ÍSLAND-HRVATSKA	0-0	0-2

BEL	10	8	2	0	18:4	26
CRO	10	5	2	3	12:9	17
SRB	10	4	2	4	18:11	14
SCO	10	3	2	5	8:12	11
WAL	10	3	1	6	9:20	10
MKD	10	2	1	7	7:16	7

Croatia Kroatien Croatie Croazia Kroatië Croacia Croácia Hırvatistan Chorwacja Хорватия

Group Gruppe Groupe Gruppo Groep Grupo Grupo Grup Grupa Группа

Group Gruppe Groupe Gruppo Groep Grupo Grupo Grup Grupa Группа **A**

(BRA) (CRO) (MEX) (CMR)

Natal	13-6-2014
MÉXICO	
Cameroun	

Fortaleza	17-6-2014
Brasil	
MÉXICO	

Recife	23-6-2014
Hrvatska	
MÉXICO	

Mexico Mexiko Mexique Messico Mexico México México Meksika Meksyk Мексика

México

(MEX) → Federación Mexicana de Fútbol Asociación, A.C. - www.femexfut.org.mx

2014 FIFA World Cup Brazil™

MÉXICO

Mexico
Mexiko
Mexique
Messico
Mexico
México
México
Meksika
Meksyk
Мексика

MÉXICO

2014 FIFA World Cup Brazil™

North, Central America and Caribbean • Nord- und Mittelamerika • Amérique du Nord, centrale et Caraïbes • America Centro-Nord e Caraibi • Noord- en Midden- Amerika en het Caribisch gebied • América del Norte, Centroamérica y Caribe • América do Norte, Central e Caribe • Kuzey ve Orta Amerika ve Karayipler • Ameryki Północnej, Środkowej i Karaibów • Северной и Центральной Америки и стран Карибского бассейна

Round Runde Tour Turno Ronde Vuelta Turno Tur Runda раунд **3**			
Gr. B	MÉXICO-GUYANA	3-1	5-0
	EL SALVADOR-MÉXICO	1-2	0-2
	COSTA RICA-MÉXICO	0-2	0-1

MEX	6	6	0	0	15:2	18
CRC	6	3	1	2	14:5	10
SLV	6	1	2	3	8:11	5
GUY	6	0	1	5	5:24	1

Round Runde Tour Turno Ronde Vuelta Turno Tur Runda раунд **4**		
MÉXICO-JAMAICA	0-0	1-0
HONDURAS-MÉXICO	2-2	2-1
MÉXICO-USA	0-0	0-2
PANAMÁ-MÉXICO	0-0	1-2
MÉXICO-COSTA RICA	0-0	1-2

USA	10	7	1	2	15:8	22
CRC	10	5	3	2	13:7	18
HON	10	4	3	3	13:12	15
MEX	10	2	5	3	7:9	11
PAN	10	1	5	4	10:14	8
JAM	10	0	5	5	5:13	5

Play-off match Entscheidungsspiel Barrage Spareggio Beslissingwedstrijd Desempate Desempate Eleme turları Dogrywka Плэй-оф		
MÉXICO-NEW ZEALAND	5-1	4-2

MÉXICO

Cruz Azul FC (MEX)
26-1-1981 | 1,84 m | 84 kg

JESÚS CORONA

Club León (MEX)
13-2-1979 | 1,82 m | 74 kg

RAFAEL MÁRQUEZ

Club América (MEX)
20-10-1981 | 1,91 m | 84 kg

FRANCISCO RODRÍGUEZ

RCD Espanyol (ESP)
17-1-1988 | 1,83 m | 80 kg

HÉCTOR MORENO

Club América (MEX)
25-6-1988 | 1,76 m | 66 kg

MIGUEL LAYÚN

Mexico Mexiko Mexique Messico Mexico México México Meksika Meksyk Мексика

Group Gruppe Groupe Gruppo Groep Grupo Grupo Grup Grupa Группа

Cameroon Kamerun Cameroun Camerun Kameroen Camerún Camarões Kamerun Kamerun Камерун

A — Group Gruppe Groupe Gruppo Groep Grupo Grupo Grup Grupa Группа

(BRA) (CRO) (MEX) (CMR)

Natal	13-6-2014
México	
CAMEROUN	

Manaus	18-6-2014
CAMEROUN	
Hrvatska	

Brasília	23-6-2014
CAMEROUN	
Brasil	

Cameroun

(CMR) → Fédération Camerounaise de Football
www.federationcamerounaisedefootball.com

Cameroon
Kamerun
Cameroun
Camerun
Kameroen
Camerún
Camarões
Kamerun
Kamerun
Камерун

2014 FIFA World Cup Brazil™

Africa • Afrika • Afrique • Africa • Afrika • Africa • África • Afrika • Afryka • Африка

Round Runde Tour Turno Ronde Vuelta Turno Tur Runda раунд			2
Gr. I	CAMEROUN-RÉP. DÉM. CONGO	1-0	0-0
	LIBYA-CAMEROUN	2-1	0-1
	CAMEROUN-TOGO	2-1	3-0

Play-off match Entscheidungsspiel Barrage Spareggio Beslissingwedstrijd Desempate Desempate Eleme turları Dogrywka Плэй-оф			
	TUNISIE-CAMEROUN	0-0	1-4

CMR	6	4	1	1	8:3	13
LBY	6	2	3	1	5:3	9
COD	6	1	3	2	3:3	6
TOG	6	1	1	4	4:11	4

Cameroon Kamerun Cameroun Camerun Kameroen Camerún Camarões Kamerun Kamerun Камерун

Group Gruppe Groupe Gruppo Groep Grupo Grupo Grup Grupa Группа

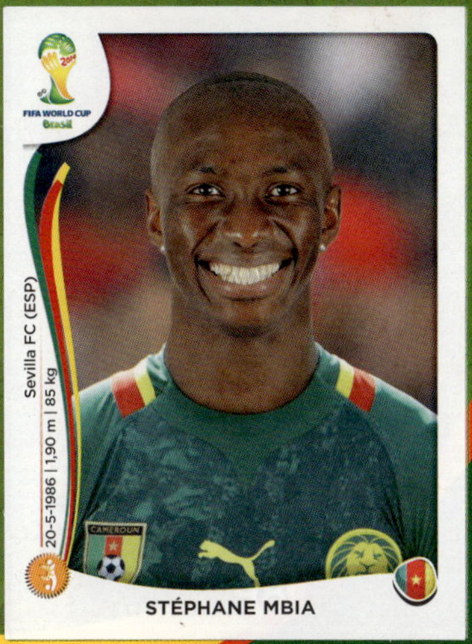

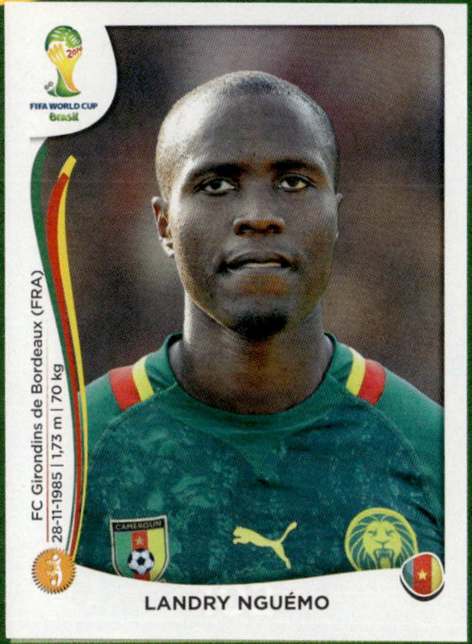

España

B Group Gruppe Groupe Gruppo Groep Grupo Grupo Grup Grupa Группа

(ESP) (NED) (CHI) (AUS)

Salvador	13-6-2014
ESPAÑA	
Nederland	

Rio de Janeiro	18-6-2014
ESPAÑA	
Chile	

Curitiba	23-6-2014
Australia	
ESPAÑA	

Spain Spanien Espagne Spagna Spanje España Espanha İspanya Hiszpania Испания

(ESP) → Real Federación Española de Fútbol - www.rfef.es

2014 FIFA World Cup Brazil™

ESPAÑA

Spain
Spanien
Espagne
Spagna
Spanje
España
Espanha
İspanya
Hiszpania
Испания

ESPAÑA

2014 FIFA World Cup Brazil™

Europe • Europa • Europe • Europa • Europa • Europa • Europa • Avrupa • Europa • Европа

Group Gruppe Groupe Gruppo Groep Grupo Grupo Grup Grupa Группа	I	
GEORGIA-ESPAÑA	0-1	0-2
BELARUS-ESPAÑA	0-4	1-2
ESPAÑA-FRANCE	1-1	1-0
ESPAÑA-SUOMI/FINLAND	1-1	2-0

ESP	8	6	2	0	14:3	20
FRA	8	5	2	1	15:6	17
FIN	8	2	3	3	5:9	9
GEO	8	1	2	5	3:10	5
BLR	8	1	1	6	7:16	4

ESPAÑA

IKER CASILLAS

SERGIO RAMOS

GERARD PIQUÉ

RAÚL ALBIOL

CÉSAR AZPILICUETA

Spain Spanien Espagne Spagna Spanje España Espanha İspanya Hiszpania Испания

Group Gruppe Groupe Gruppo Groep Grupo Grupo Grup Grupa Группа

Netherlands Niederlande Pays-Bas Olanda Nederland Holanda Holanda Hollanda Holandia Нидерланды

B Group Gruppe Groupe Gruppo Groep Grupo Grupo Grup Grupa Группа

(ESP) (NED) (CHI) (AUS)

Salvador	13-6-2014
España	
NEDERLAND	

Porto Alegre	18-6-2014
Australia	
NEDERLAND	

São Paulo	23-6-2014
NEDERLAND	
Chile	

Nederland

(NED) → Koninklijke Nederlandse Voetbal Bond - www.knvb.nl

Netherlands
Niederlande
Pays-Bas
Olanda
Nederland
Holanda
Holanda
Hollanda
Holandia
Нидерланды

2014 FIFA World Cup Brazil™

Europe • Europa • Europe • Europa • Europa • Europa • Europa • Avrupa • Europa • Европа

Group Gruppe Groupe Gruppo Groep Grupo Grupo Grup Grupa Группа		D
NEDERLAND-TÜRKIYE	2-0	2-0
MAGYARORSZÁG-NEDERLAND	1-4	1-8
NEDERLAND-ANDORRA	3-0	2-0
ROMÂNIA-NEDERLAND	1-4	0-4
NEDERLAND-EESTI	3-0	2-2

NED	10	9	1	0	34:5	28
ROU	10	6	1	3	19:12	19
HUN	10	5	2	3	21:20	17
TUR	10	5	1	4	16:9	16
EST	10	2	1	7	6:20	7
AND	10	0	0	10	0:30	0

AFC Ajax (NED)
9-3-1990 | 1,80 m | 72 kg
KNVB
DALEY BLIND

Feyenoord (NED)
27-6-1991 | 1,69 m | 68 kg
KNVB
JORDY CLASIE

AC Milan (ITA)
30-11-1984 | 1,74 m | 72 kg
KNVB
NIGEL DE JONG

Norwich City FC (ENG)
5-1-1990 | 1,88 m | 79 kg
KNVB
LEROY FER

Swansea City AFC (WAL)
13-9-1987 | 1,73 m | 72 kg
KNVB
JONATHAN DE GUZMÁN

Galatasaray AŞ (TUR)
9-6-1984 | 1,70 m | 67 kg
KNVB
WESLEY SNEIJDER

FC Bayern München (GER)
23-1-1984 | 1,80 m | 80 kg
KNVB
ARJEN ROBBEN

PSV Eindhoven (NED)
13-2-1994 | 1,76 m | 78 kg
KNVB
MEMPHIS DEPAY

Fenerbahçe SK (TUR)
22-7-1980 | 1,84 m | 77 kg
KNVB
DIRK KUYT

FC Dynamo Kyiv (UKR)
24-11-1987 | 1,78 m | 73 kg
KNVB
JEREMAIN LENS

FC Schalke 04 (GER)
12-8-1983 | 1,86 m | 78 kg
KNVB
KLAAS-JAN HUNTELAAR

Manchester United FC (ENG)
6-8-1983 | 1,88 m | 78 kg
KNVB
ROBIN VAN PERSIE

B Group Gruppe Groupe
Gruppo Groep Grupo Grupo
Grup Grupa Группа

(ESP) (NED) (CHI) (AUS)

Cuiabá	13-6-2014
CHILE	
Australia	

Rio de Janeiro	18-6-2014
España	
CHILE	

São Paulo	23-6-2014
Nederland	
CHILE	

Chile

(CHI) → Federación de Fútbol de Chile - www.anfp.cl

2014 FIFA World Cup Brazil™
FEDERACION DE FUTBOL
F.F.CH.
CHILE

Chile
Chile
Chili
Cile
Chili
Chile
Chile
Şili
Chile
Чили

CHILE

2014 FIFA World Cup Brazil™

South America • Südamerika • Amérique du Sud • Sudamerica • Zuid-Amerika • Sudamérica • América do Sul • Güney Amerika • Ameryka Południowa • Южная Америка

ARGENTINA-CHILE	4-1	2-1
CHILE-PERÚ	4-2	0-1
URUGUAY-CHILE	4-0	0-2
CHILE-PARAGUAY	2-0	2-1
BOLIVIA-CHILE	0-2	1-3
VENEZUELA-CHILE	0-2	0-3
CHILE-COLOMBIA	1-3	3-3
ECUADOR-CHILE	3-1	1-2

ARG	16	9	5	2	35:15	32
COL	16	9	3	4	27:13	30
CHI	16	9	1	6	29:25	28
ECU	16	7	4	5	20:16	25
URU	16	7	4	5	25:25	25
VEN	16	5	5	6	14:20	20
PER	16	4	3	9	17:26	15
BOL	16	2	6	8	17:30	12
PAR	16	3	3	10	17:31	12

CHILE

CLAUDIO BRAVO

MIIKO ALBORNOZ

EUGENIO MENA

GONZALO JARA

JOSÉ ROJAS

Chile Chile Chili Cile Chili Chile Chile Şili Chile Чили

Group Gruppe Groupe Gruppo Groep Grupo Grupo Grup Grupa Группа

B Group Gruppe Groupe
Gruppo Groep Grupo Grupo
Grup Grupa Группа

(ESP)	(NED)	(CHI)	(AUS)

Australia

(AUS) → Football Federation Australia - www.footballaustralia.com.au

Cuiabá 13-6-2014

Chile	
AUSTRALIA	

Porto Alegre 18-6-2014

AUSTRALIA	
Nederland	

Curitiba 23-6-2014

AUSTRALIA	
España	

Australia
Australien
Australie
Australia
Australië
Australia
Austrália
Avustralya
Australia
Австралия

2014 FIFA World Cup Brazil™

Asia • Asien • Asie • Asia • Azië • Asia • Ásia • Asya • Azja • Азия

Round Runde Tour Turno Ronde Vuelta Turno Tur Runda раунд			3
Gr. D	AUSTRALIA-THAILAND	2-1	1-0
	SAUDI ARABIA-AUSTRALIA	1-3	2-4
	AUSTRALIA-OMAN	3-0	0-1

AUS	6	5	0	1	13:5	15
OMA	6	2	2	2	3:6	8
KSA	6	1	3	2	6:7	6
THA	6	1	1	4	4:8	4

Round Runde Tour Turno Ronde Vuelta Turno Tur Runda раунд			4
Gr. B	OMAN-AUSTRALIA	0-0	2-2
	AUSTRALIA-JAPAN	1-1	1-1
	JORDAN-AUSTRALIA	2-1	0-4
	IRAQ-AUSTRALIA	1-2	0-1

JPN	8	5	2	1	16:5	17
AUS	8	3	4	1	12:7	13
JOR	8	3	1	4	7:16	10
OMA	8	2	3	3	7:10	9
IRQ	8	1	2	5	4:8	5

Australia Australien Australie Australia Australië Australia Austrália Avustralya Australia Австралия

Australia Australien Australie Australia Australië Australia Austrália Avustralya Australia Австралия

Group Gruppe Groupe Gruppo Groep Grupo Grupo Grup Grupa Группа B

CAPITÃO
Liberty Seguros
www.libertyseguros.com.br
LIBERTY VIDA
LIBERTY AUTO
LIBERTY RESIDÊNCIA
LIBERTY EMPRESARIAL

LEVAR A RESPONSABILIDADE NO BRAÇO E UMA NAÇÃO INTEIRA NO PEITO.
esse é o
#meu exemplo
A Liberty Seguros acredita que a atitude certa serve de exemplo para todos ao nosso redor. A nossa é a responsabilidade de estar junto com você, na sua casa, no seu carro, na sua vida e no seu negócio.
FIFA WORLD CUP Brasil
2014
Liberty Seguros™
SEGURADORA OFICIAL DA COPA DO MUNDO DA FIFA 2014™

Group Gruppe Groupe Gruppo Groep Grupo Grupo Grup Grupa Группа **C**

Colombia Kolumbien Colombie Colombia Colombia Colombia Colômbia Kolombiya Kolumbia Колумбия

(COL) (GRE) (CIV) (JPN)

Belo Horizonte	14-6-2014
COLOMBIA	
Hellas	

Brasília	19-6-2014
COLOMBIA	
Côte d'Ivoire	

Cuiabá	24-6-2014
Japan	
COLOMBIA	

Colombia

(COL) → Federación Colombiana de Fútbol - www.fcf.com.co

Colombia
Kolumbien
Colombie
Colombia
Colombia
Colombia
Colômbia
Kolombiya
Kolumbia
Колумбия

2014 FIFA World Cup Brazil™

South America • Südamerika • Amérique du Sud • Sudamerica • Zuid-Amerika • Sudamérica • América do Sul • Güney Amerika • Ameryka Południowa • Южная Америка

BOLIVIA-COLOMBIA	1-2	0-5
COLOMBIA-VENEZUELA	1-1	0-1
COLOMBIA-ARGENTINA	1-2	0-0
PERÚ-COLOMBIA	0-1	0-2
ECUADOR-COLOMBIA	1-0	0-1
COLOMBIA-URUGUAY	4-0	0-2
CHILE-COLOMBIA	1-3	3-3
COLOMBIA-PARAGUAY	2-0	2-1

ARG	16	9	5	2	35:15	32
COL	16	9	3	4	27:13	30
CHI	16	9	1	6	29:25	28
ECU	16	7	4	5	20:16	25
URU	16	7	4	5	25:25	25
VEN	16	5	5	6	14:20	20
PER	16	4	3	9	17:26	15
BOL	16	2	6	8	17:30	12
PAR	16	3	3	10	17:31	12

Colombia Kolumbien Colombie Colombia Colombia Colombia Colômbia Kolombiya Kolumbia Колумбия

Group Gruppe Groupe Gruppo Groep Grupo Grupo Grup Grupa Группа

Group Gruppe Groupe
Gruppo Groep Grupo Grupo
Grup Grupa Группа

C

(COL) (GRE) (CIV) (JPN)

Belo Horizonte	14-6-2014
Colombia	
HELLAS	

Natal	19-6-2014
Japan	
HELLAS	

Fortaleza	24-6-2014
HELLAS	
Côte d'Ivoire	

Greece Griechenland Grèce Grecia Griekenland Grecia Grécia Yunanistan Grecja Греция

Hellas

(GRE) → Hellenic Football Federation - www.epo.gr

Greece
Griechenland
Grèce
Grecia
Griekenland
Grecia
Grécia
Yunanistan
Grecja
Греция

2014 FIFA World Cup Brazil™

Europe • Europa • Europe • Europa • Europa • Europa • Europa • Avrupa • Europa • Европа

Group Gruppe Groupe Gruppo Groep Grupo Grupo Grup Grupa Группа	G	
LATVIJA-**HELLAS**	1-2	0-1
HELLAS-LIETUVA	2-0	1-0
HELLAS-BOSNA I HERCEGOVINA	0-0	1-3
SLOVENSKÁ REP.-**HELLAS**	0-1	0-1
LIECHTENSTEIN-**HELLAS**	0-1	0-2

Play-off match Entscheidungsspiel Barrage Spareggio Beslissingwedstrijd Desempate Desempate Eleme turları Dogrywka Плэй-оф		
HELLAS-ROMÂNIA	3-1	1-1

BIH	10	8	1	1	30:6	25
GRE	10	8	1	1	12:4	25
SVK	10	3	4	3	11:10	13
LTU	10	3	2	5	9:11	11
LVA	10	2	2	6	10:20	8
LIE	10	0	2	8	4:25	2

Greece Griechenland Grèce Grecia Griekenland Grecia Grécia Yunanistan Grecja Греция

Group Gruppe Groupe Gruppo Groep Grupo Grupo Grup Grupa Группа

JOSÉ HOLEBAS

KOSTAS MANOLAS

ANDREAS SAMARIS

GIORGOS KARAGOUNIS

KOSTAS KATSOURANIS

ALEXANDROS TZIOLIS

PANAGIOTIS KONE

GIANNIS FETFATZIDIS

GIORGOS SAMARAS

DIMITRIS SALPINGIDIS

FANIS GEKAS

KOSTAS MITROGLOU

Group Gruppe Groupe
Gruppo Groep Grupo Grupo
Grup Grupa Группа

C

(COL) (GRE) (CIV) (JPN)

Recife	14-6-2014
CÔTE D'IVOIRE	
Japan	

Brasília	19-6-2014
Colombia	
CÔTE D'IVOIRE	

Fortaleza	24-6-2014
Hellas	
CÔTE D'IVOIRE	

Ivory Coast Elfenbeinküste Côte d'Ivoire Costa d'Avorio Ivoorkust Costa de Marfil Costa do Marfim Fildişi Sahili Wybrzeże Kości Słoniowej Кот-д'Ивуар

Côte d'Ivoire

(CIV) → Fédération Ivoirienne de Football - www.fif-ci.com

Ivory Coast
Elfenbeinküste
Côte d'Ivoire
Costa d'Avorio
Ivoorkust
Costa de Marfil
Costa do Marfim
Fildişi Sahili
Wybrzeże Kości Słoniowej
Кот-д'Ивуар

2014 FIFA World Cup Brazil™

Africa • Afrika • Afrique • Africa • Afrika • Africa • África • Afrika • Afryka • Африка

Round Runde Tour Turno Ronde Vuelta Turno Tur Runda раунд		2	
Gr. C	CÔTE D'IVOIRE-TANZANIA	2-0	4-2
	MAROC-CÔTE D'IVOIRE	2-2	1-1
	CÔTE D'IVOIRE-GAMBIA	3-0	3-0

CIV	6	4	2	0	15:5	14
MAR	6	2	3	1	9:8	9
TAN	6	2	0	4	8:12	6
GAM	6	1	1	4	4:11	4

Play-off match Entscheidungsspiel Barrage Spareggio Beslissingwedstrijd Desempate Desempate Eleme turları Dogrywka Плэй-оф		
CÔTE D'IVOIRE-SENEGAL	3-1	1-1

CÔTE D'IVOIRE

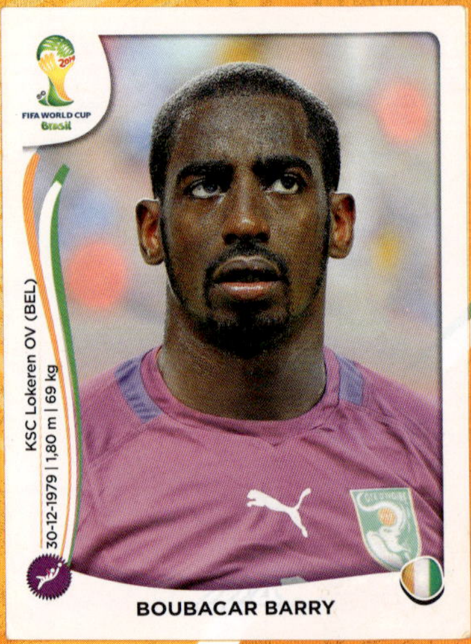

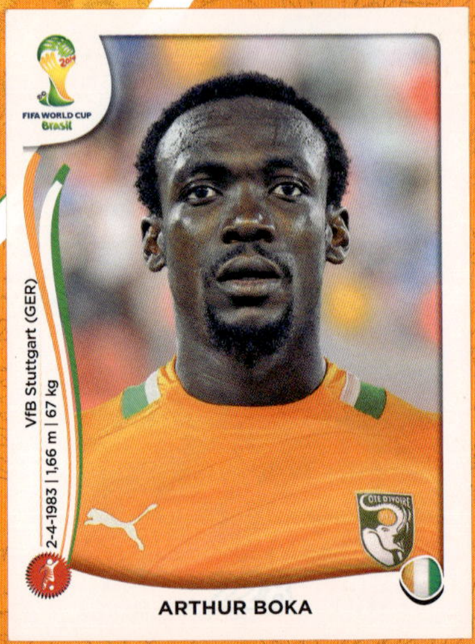

Ivory Coast Elfenbeinküste Côte d'Ivoire Costa d'Avorio Ivoorkust Costa de Marfil Costa do Marfim Fildişi Sahili Wybrzeże Kości Słoniowej Кот-д'Ивуар

Group Gruppe Groupe Gruppo Groep Grupo Grupo Grup Grupa Группа

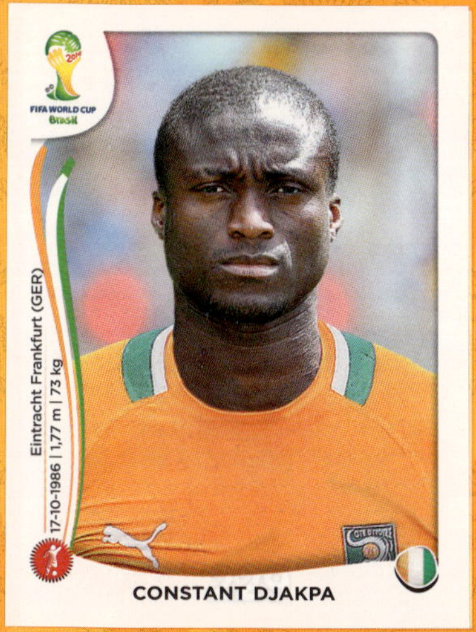

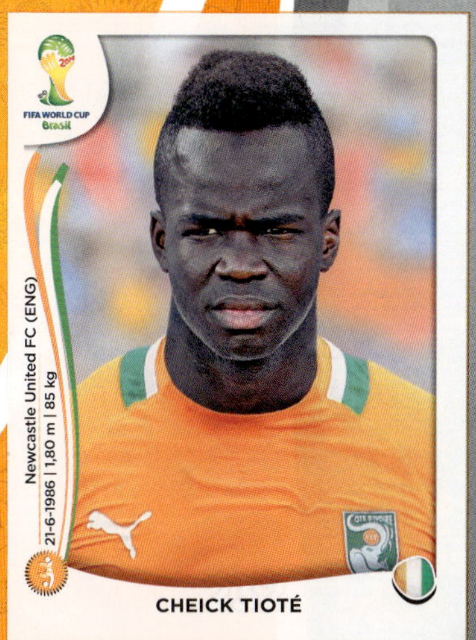

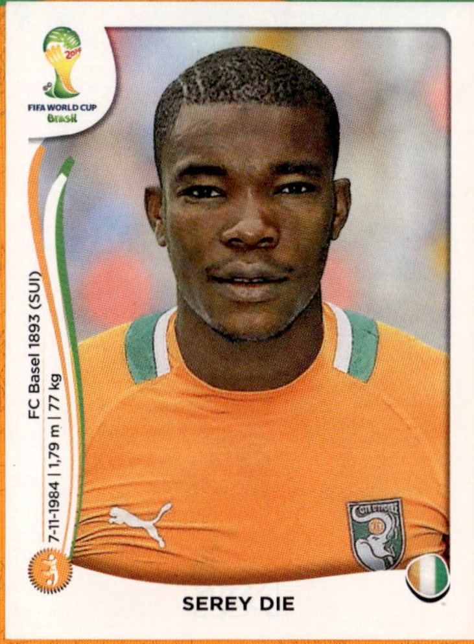

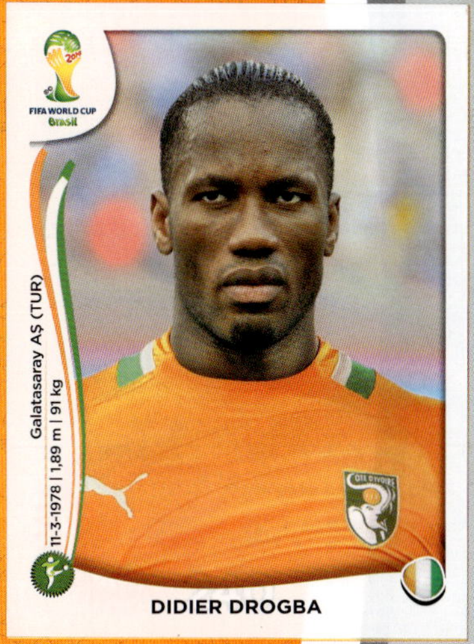

Japan Japan Japon Giappone Japan Japón Japão Japonya Japonia Япония

C Group Gruppe Groupe Gruppo Groep Grupo Grupo Grup Grupa Группа

(COL) (GRE) (CIV) (JPN)

Recife	14-6-2014
Côte d'Ivoire	
JAPAN	

Natal	19-6-2014
JAPAN	
Hellas	

Cuiabá	24-6-2014
JAPAN	
Colombia	

Japan

(JPN) → Japan Football Association - www.jfa.or.jp

Japan
Japan
Japon
Giappone
Japan
Japón
Japão
Japonya
Japonia
Япония

2014 FIFA World Cup Brazil™

Asia • Asien • Asie • Asia • Azië • Asia • Ásia • Asya • Azja • Азия

Round Runde Tour Turno Ronde Vuelta Turno Tur Runda раунд 3			
Gr. C	JAPAN-KOREA DPR	1-0	0-1
	UZBEKISTAN-JAPAN	1-1	1-0
	JAPAN-TAJIKISTAN	8-0	4-0

UZB	6	5	1	0	8:1	16
JPN	6	3	1	2	14:3	10
PRK	6	2	1	3	3:4	7
TJK	6	0	1	5	1:18	1

Round Runde Tour Turno Ronde Vuelta Turno Tur Runda раунд 4			
Gr. B	JAPAN-OMAN	3-0	2-1
	JAPAN-JORDAN	6-0	1-2
	AUSTRALIA-JAPAN	1-1	1-1
	JAPAN-IRAQ	1-0	1-0

JPN	8	5	2	1	16:5	17
AUS	8	3	4	1	12:7	13
JOR	8	3	1	4	7:16	10
OMA	8	2	3	3	7:10	9
IRQ	8	1	2	5	4:8	5

Japan Japan Japon Giappone Japan Japón Japão Japonya Japonia Япония

Group Gruppe Groupe Gruppo Groep Grupo Grupo Grup Grupa Группа

GOTOKU SAKAI

HIROKI SAKAI

MASATO MORISHIGE

YASUHITO ENDO

MAKOTO HASEBE

KEISUKE HONDA

HOTARU YAMAGUCHI

HIROSHI KIYOTAKE

SHINJI KAGAWA

SHINJI OKAZAKI

YOICHIRO KAKITANI

YUYA OSAKO

Group Gruppe Groupe
Gruppo Groep Grupo Grupo
Grup Grupa Группа

D

(URU) (CRC) (ENG) (ITA)

Fortaleza	14-6-2014
URUGUAY	
Costa Rica	

São Paulo	19-6-2014
URUGUAY	
England	

Natal	24-6-2014
Italia	
URUGUAY	

Uruguay

(URU) → Asociación Uruguaya de Fútbol - www.auf.org.uy

Uruguay
Uruguay
Uruguay
Uruguay
Uruguay
Uruguay
Uruguai
Uruguay
Urugwaj
Уругвай

Uruguay Uruguay Uruguay Uruguay Uruguay Uruguai Uruguay Urugwaj Уругвай

2014 FIFA World Cup Brazil™

South America • Südamerika • Amérique du Sud • Sudamerica • Zuid-Amerika • Sudamérica • América do Sul • Güney Amerika • Ameryka Południowa • Южная Америка

URUGUAY-BOLIVIA	4-2	1-4
PARAGUAY-URUGUAY	1-1	1-1
URUGUAY-CHILE	4-0	0-2
URUGUAY-VENEZUELA	1-1	1-0
URUGUAY-PERÚ	4-2	2-1
COLOMBIA-URUGUAY	4-0	0-2
URUGUAY-ECUADOR	1-1	0-1
ARGENTINA-URUGUAY	3-0	2-3

Play-off match Entscheidungsspiel Barrage Spareggio Beslissingwedstrijd Desempate Desempate Eleme turları Dogrywka Плэй-оф

JORDAN-URUGUAY	0-5	0-0

ARG	16	9	5	2	35:15	32
COL	16	9	3	4	27:13	30
CHI	16	9	1	6	29:25	28
ECU	16	7	4	5	20:16	25
URU	16	7	4	5	25:25	25
VEN	16	5	5	6	14:20	20
PER	16	4	3	9	17:26	15
BOL	16	2	6	8	17:30	12
PAR	16	3	3	10	17:31	12

FIFA WORLD CUP Brasil
São Paulo FC (BRA)
28-11-1985 | 1,80 m | 78 kg
ÁLVARO PEREIRA

FIFA WORLD CUP Brasil
Parma FC (ITA)
23-7-1984 | 1,69 m | 65 kg
WALTER GARGANO

FIFA WORLD CUP Brasil
CA Monarcas Morelia (MEX)
1-1-1982 | 1,70 m | 68 kg
EGIDIO ARÉVALO RÍOS

FIFA WORLD CUP Brasil
Bologna FC (ITA)
18-5-1980 | 1,77 m | 81 kg
DIEGO PÉREZ

FIFA WORLD CUP Brasil
SS Lazio (ITA)
29-10-1984 | 1,76 m | 72 kg
ÁLVARO GONZÁLEZ

FIFA WORLD CUP Brasil
Club Atlético de Madrid (ESP)
30-9-1985 | 1,78 m | 81 kg
CRISTIAN RODRÍGUEZ

FIFA WORLD CUP Brasil
Southampton FC (ENG)
2-12-1990 | 1,83 m | 77 kg
GASTÓN RAMÍREZ

FIFA WORLD CUP Brasil
RCD Espanyol (ESP)
12-10-1986 | 1,86 m | 77 kg
CHRISTIAN STUANI

FIFA WORLD CUP Brasil
US Città di Palermo (ITA)
8-8-1990 | 1,85 m | 73 kg
ABEL HERNÁNDEZ

FIFA WORLD CUP Brasil
Cerezo Osaka (JPN)
19-5-1979 | 1,80 m | 78 kg
DIEGO FORLÁN

FIFA WORLD CUP Brasil
Paris Saint-Germain FC (FRA)
14-2-1987 | 1,84 m | 71 kg
EDINSON CAVANI

FIFA WORLD CUP Brasil
Liverpool FC (ENG)
24-1-1987 | 1,81 m | 81 kg
LUIS SUÁREZ

Costa Rica

Group Gruppe Groupe
Gruppo Groep Grupo Grupo
Grup Grupa Группа D

(URU) (CRC) (ENG) (ITA)

Fortaleza	14-6-2014
Uruguay	
COSTA RICA	

Recife	20-6-2014
Italia	
COSTA RICA	

Belo Horizonte	24-6-2014
COSTA RICA	
England	

Costa Rica Costa Rica Costa Rica Costa Rica Costa Rica Costa Rica Costa Rica Kosta Rika Kostaryka Коста-Рика

(CRC) → Federación Costarricense de Fútbol - www.fedefutbolcr.com

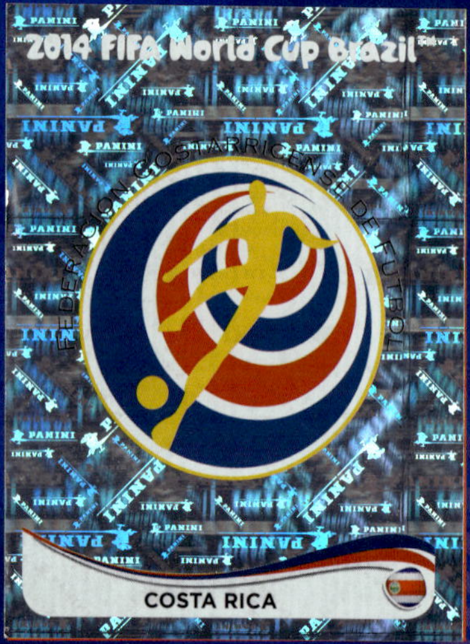

COSTA RICA

Costa Rica
Costa Rica
Costa Rica
Costa Rica
Costa Rica
Costa Rica
Costa Rica
Kosta Rika
Kostaryka
Коста-Рика

COSTA RICA

Levante UD (ESP) | 15-12-1986 | 1,84 m | 78 kg
KEYLOR NAVAS

2014 FIFA World Cup Brazil™

North, Central America and Caribbean • Nord- und Mittelamerika • Amérique du Nord, centrale et Caraïbes • America Centro-Nord e Caraibi • Noord- en Midden- Amerika en het Caribisch gebied • América del Norte, Centroamérica y Caribe • América do Norte, Central e Caribe • Kuzey ve Orta Amerika ve Karayipler • Ameryki Północnej, Środkowej i Karaibów • Северной и Центральной Америки и стран Карибского бассейна

Round Runde Tour Turno Ronde Vuelta Turno Tur Runda раунд		3	
Gr. B	COSTA RICA-EL SALVADOR	2-2	1-0
	GUYANA-COSTA RICA	0-4	0-7
	COSTA RICA-MÉXICO	0-2	0-1

MEX	6	6	0	0	15:2	18
CRC	6	3	1	2	14:5	10
SLV	6	1	2	3	8:11	5
GUY	6	0	1	5	5:24	1

Round Runde Tour Turno Ronde Vuelta Turno Tur Runda раунд		4	
	PANAMÁ-COSTA RICA	2-2	0-2
	USA-COSTA RICA	1-0	1-3
	COSTA RICA-JAMAICA	2-0	1-1
	COSTA RICA-HONDURAS	1-0	0-1
	MÉXICO-COSTA RICA	0-0	1-2

USA	10	7	1	2	15:8	22
CRC	10	5	3	2	13:7	18
HON	10	4	3	3	13:12	15
MEX	10	2	5	3	7:9	11
PAN	10	1	5	4	10:14	8
JAM	10	0	5	5	5:13	5

Vålerenga Fotball (NOR) | 8-2-1988 | 1,86 m | 72 kg
GIANCARLO GONZÁLEZ

Deportivo Saprissa (CRC) | 16-7-1982 | 1,80 m | 78 kg
MICHAEL UMAÑA

Rosenborg BK (NOR) | 24-10-1989 | 1,75 m | 67 kg
CRISTIAN GAMBOA

LD Alajuelense (CRC) | 21-7-1983 | 1,75 m | 80 kg
JOHNNY ACOSTA

JÚNIOR DÍAZ

ROY MILLER

ÓSCAR DUARTE

CHRISTIAN BOLAÑOS

JOSÉ MIGUEL CUBERO

CELSO BORGES

MICHAEL BARRANTES

YELTSIN TEJEDA

DIEGO CALVO

BRYAN RUIZ

JOEL CAMPBELL

MARCO UREÑA

Group Gruppe Groupe Gruppo Groep Grupo Grupo Grup Grupa Группа

D

(URU)	(CRC)	(ENG)	(ITA)

Manaus	14-6-2014
ENGLAND	
Italia	

São Paulo	19-6-2014
Uruguay	
ENGLAND	

Belo Horizonte	24-6-2014
Costa Rica	
ENGLAND	

England England Angleterre Inghilterra Engeland Inglaterra Inglaterra İngiltere Anglia Англия

England

(ENG) → The Football Association - www.thefa.com

England | England | Angleterre | Inghilterra
Engeland | Inglaterra | Inglaterra | İngiltere
Anglia | Англия

2014 FIFA World Cup Brazil™

Europe • Europa • Europe • Europa • Europa • Europa • Europa • Avrupa • Europa • Европа

Group Gruppe Groupe Gruppo Groep Grupo Grupo Grup Grupa Группа		H
MOLDOVA-ENGLAND	0-5	0-4
ENGLAND-UKRAINE	1-1	0-0
ENGLAND-SAN MARINO	5-0	8-0
POLSKA-ENGLAND	1-1	0-2
CRNA GORA-ENGLAND	1-1	1-4

ENG	10	6	4	0	31:4	22
UKR	10	6	3	1	28:4	21
MNE	10	4	3	3	18:17	15
POL	10	3	4	3	18:12	13
MDA	10	3	2	5	12:17	11
SMR	10	0	0	10	1:54	0

JOE HART

LUKE SHAW

GLEN JOHNSON

GARY CAHILL

PHIL JAGIELKA

England England Angleterre Inghilterra Engeland Inglaterra Inglaterra İngiltere Anglia Англия

Group Gruppe Groupe Gruppo Groep Grupo Grupo Grup Grupa Группа

Manchester United FC (ENG)
22-11-1989 | 1,94 m | 90 kg

CHRIS SMALLING

Everton FC (ENG)
11-12-1984 | 1,70 m | 70 kg

LEIGHTON BAINES

Liverpool FC (ENG)
30-5-1980 | 1,83 m | 83 kg

STEVEN GERRARD

Chelsea FC (ENG)
20-6-1978 | 1,84 m | 88 kg

FRANK LAMPARD

Everton FC (ENG)
5-12-1993 | 1,89 m | 76 kg

ROSS BARKLEY

Arsenal FC (ENG)
1-1-1992 | 1,76 m | 75 kg

JACK WILSHERE

Manchester City FC (ENG)
4-1-1986 | 1,76 m | 70 kg

JAMES MILNER

Southampton FC (ENG)
10-5-1988 | 1,73 m | 73 kg

ADAM LALLANA

Arsenal FC (ENG)
15-8-1993 | 1,75 m | 75 kg

ALEX OXLADE-CHAMBERLAIN

Manchester United FC (ENG)
26-11-1990 | 1,85 m | 74 kg

DANNY WELBECK

Liverpool FC (ENG)
1-9-1989 | 1,83 m | 76 kg

DANIEL STURRIDGE

Manchester United FC (ENG)
24-10-1985 | 1,78 m | 80 kg

WAYNE ROONEY

Group Gruppe Groupe Gruppo Groep Grupo Grupo Grup Grupa Группа

D

(URU) (CRC) (ENG) (ITA)

Italy Italien Italie Italia Italië Italia Itália İtalya Włochy Италия

Manaus	14-6-2014
England	
ITALIA	

Recife	20-6-2014
ITALIA	
Costa Rica	

Natal	24-6-2014
ITALIA	
Uruguay	

Italia

(ITA) → Federazione Italiana Giuoco Calcio - www.figc.it

2014 FIFA World Cup Brazil™

ITALIA

FIGC

ITALIA

Italy

Italien

Italie

Italia

Italië

Italia

Itália

İtalya

Włochy

Италия

ITALIA

2014 FIFA World Cup Brazil™

Europe • Europa • Europe • Europa • Europa • Europa • Europa • Avrupa • Europa • Европа

Group Gruppe Groupe Gruppo Groep Grupo Grupo Grup Grupa Группа	B	
BALGARIJA-ITALIA	2-2	0-1
ITALIA-MALTA	2-0	2-0
ARMENIA-ITALIA	1-3	2-2
ITALIA-DANMARK	3-1	2-2
ČESKÁ REPUBLIKA-ITALIA	0-0	1-2

ITA	10	6	4	0	19:9	22
DEN	10	4	4	2	17:12	16
CZE	10	4	3	3	13:9	15
BUL	10	3	4	3	14:9	13
ARM	10	4	1	5	12:13	13
MLT	10	1	0	9	5:28	3

ITALIA

Juventus (ITA)

28-1-1978 | 1,91 m | 83 kg

GIANLUIGI BUFFON

Juventus (ITA)

8-5-1981 | 1,86 m | 79 kg

ANDREA BARZAGLI

Juventus (ITA)

1-5-1987 | 1,90 m | 82 kg

LEONARDO BONUCCI

Juventus (ITA)

14-8-1984 | 1,86 m | 76 kg

GIORGIO CHIELLINI

AC Milan (ITA)

12-11-1986 | 1,80 m | 73 kg

IGNAZIO ABATE

Italy Italien Italie Italia Italië Italia Itália İtalya Włochy Италия

Group Gruppe Groupe Gruppo Groep Grupo Grupo Grup Grupa Группа

O INGLÊS PATROCINADOR DAS SUAS CONQUISTAS.
WISE UP
Inglês Inteligente
FIFA WORLD CUP Brasil
WISE UP
Inglês Inteligente
ESCOLA DE INGLÊS OFICIAL DA COPA DO MUNDO DA FIFA 2014™
wiseup.com

Switzerland

E Group Gruppe Groupe Gruppo Groep Grupo Grupo Grup Grupa Группа

(SUI) (ECU) (FRA) (HON)

Brasília	15-6-2014
SWITZERLAND	
Ecuador	

Salvador	20-6-2014
SWITZERLAND	
France	

Manaus	25-6-2014
Honduras	
SWITZERLAND	

(SUI) → Schweizerischer Fussballverband / Association Suisse de Football / Associazione Svizzera di Football - www.football.ch

SWITZERLAND

Switzerland
Schweiz
Suisse
Svizzera
Zwitserland
Suiza
Suíça
İsviçre
Szwajcaria
Швейцария

SWITZERLAND

Switzerland Schweiz Suisse Svizzera Zwitserland Suiza Suíça İsviçre Szwajcaria Швейцария

2014 FIFA World Cup Brazil™

Europe • Europa • Europe • Europa • Europa • Europa • Europa • Avrupa • Europa • Европа

Group Gruppe Groupe Gruppo Groep Grupo Grupo Grup Grupa Группа	E	
SLOVENIJA-SWITZERLAND	0-2	0-1
SWITZERLAND-SHQIPËRIA	2-0	2-1
SWITZERLAND-NORGE	1-1	2-0
ÍSLAND-SWITZERLAND	0-2	4-4
KYPROS/CYPRUS-SWITZERLAND	0-0	0-1

SUI	10	7	3	0	17:6	24
ISL	10	5	2	3	17:15	17
SVN	10	5	0	5	14:11	15
NOR	10	3	3	4	10:13	12
ALB	10	3	2	5	9:11	11
CYP	10	1	2	7	4:15	5

DIEGO BENAGLIO

STEPHAN LICHTSTEINER

RICARDO RODRIGUEZ

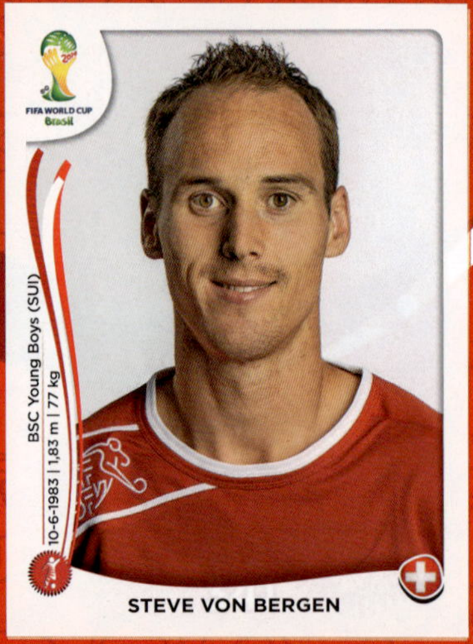

STEVE VON BERGEN

FABIAN SCHÄR

Switzerland Schweiz Suisse Svizzera Zwitserland Suiza Suíça İsviçre Szwajcaria Швейцария

Group Gruppe Groupe Gruppo Groep Grupo Grupo Grup Grupa Группа

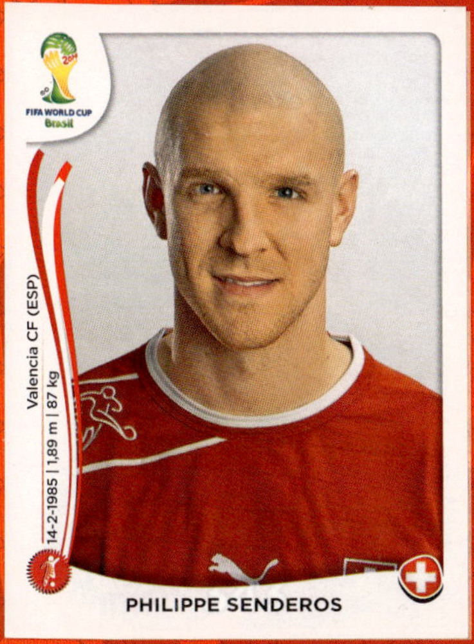

Group Gruppe Groupe
Gruppo Groep Grupo Grupo
Grup Grupa Группа

E

(SUI) (ECU) (FRA) (HON)

Brasília 15-6-2014

Switzerland	
ECUADOR	

Curitiba 20-6-2014

Honduras	
ECUADOR	

Rio de Janeiro 25-6-2014

ECUADOR	
France	

Ecuador Ecuador Équateur Ecuador Ecuador Ecuador Equador Ekvator Ekwador Эквадор

Ecuador

(ECU) → **Federación Ecuatoriana de Fútbol - www.ecuafutbol.org**

Ecuador
Ecuador
Équateur
Ecuador
Ecuador
Ecuador
Equador
Ekvator
Ekwador
Эквадор

2014 FIFA World Cup Brazil™

South America • Südamerika • Amérique du Sud • Sudamerica • Zuid-Amerika • Sudamérica • América do Sul • Güney Amerika • Ameryka Południowa • Южная Америка

ECUADOR-VENEZUELA	2-0	1-1
PARAGUAY-ECUADOR	2-1	1-4
ECUADOR-PERÚ	2-0	0-1
ARGENTINA-ECUADOR	4-0	1-1
ECUADOR-COLOMBIA	1-0	0-1
ECUADOR-BOLIVIA	1-0	1-1
URUGUAY-ECUADOR	1-1	0-1
ECUADOR-CHILE	3-1	1-2

ARG	16	9	5	2	35:15	32
COL	16	9	3	4	27:13	30
CHI	16	9	1	6	29:25	28
ECU	16	7	4	5	20:16	25
URU	16	7	4	5	25:25	25
VEN	16	5	5	6	14:20	20
PER	16	4	3	9	17:26	15
BOL	16	2	6	8	17:30	12
PAR	16	3	3	10	17:31	12

ECUADOR

Ecuador Ecuador Équateur Ecuador Ecuador Ecuador Equador Ekvator Ekwador Эквадор

Group Gruppe Groupe Gruppo Groep Grupo Grupo Grup Grupa Группа

France

E Group Gruppe Groupe Gruppo Groep Grupo Grupo Grup Grupa Группа

(SUI) (ECU) (FRA) (HON)

France Frankreich France Francia Frankrijk Francia França Fransa Francja Франция

Porto Alegre	15-6-2014
FRANCE	
Honduras	

Salvador	20-6-2014
Switzerland	
FRANCE	

Rio de Janeiro	25-6-2014
Ecuador	
FRANCE	

(FRA) → Fédération Française de Football - www.fff.fr

France
Frankreich
France
Francia
Frankrijk
Francia
França
Fransa
Francja
Франция

2014 FIFA World Cup Brazil™

Europe • Europa • Europe • Europa • Europa • Europa • Europa • Avrupa • Europa • Европа

Group Gruppe Groupe Gruppo Groep Grupo Grupo Grup Grupa Группа	I	
SUOMI/FINLAND-FRANCE	0-1	0-3
FRANCE-BELARUS	3-1	4-2
ESPAÑA-FRANCE	1-1	1-0
FRANCE-GEORGIA	3-1	0-0

Play-off match Entscheidungsspiel Barrage Spareggio Beslissingwedstrijd Desempate Desempate Eleme turları Dogrywka Плэй-оф		
UKRAINE-FRANCE	2-0	0-3

ESP	8	6	2	0	14:3	20
FRA	8	5	2	1	15:6	17
FIN	8	2	3	3	5:9	9
GEO	8	1	2	5	3:10	5
BLR	8	1	1	6	7:16	4

Group Gruppe Groupe Gruppo Groep Grupo Grupo Grup Grupa Группа

MAMADOU SAKHO

BACARY SAGNA

MOUSSA SISSOKO

YOHAN CABAYE

BLAISE MATUIDI

PAUL POGBA

MATHIEU VALBUENA

RIO MAVUBA

ANTOINE GRIEZMANN

LOÏC RÉMY

OLIVIER GIROUD

KARIM BENZEMA

Honduras Honduras Honduras Honduras Honduras Honduras Honduras Honduras Honduras Гондурас

E Group Gruppe Groupe Gruppo Groep Grupo Grupo Grup Grupa Группа

(SUI) (ECU) (FRA) (HON)

Porto Alegre 15-6-2014

France	
HONDURAS	

Curitiba 20-6-2014

HONDURAS	
Ecuador	

Manaus 25-6-2014

HONDURAS	
Switzerland	

Honduras

(HON) → Federación Nacional Autónoma de Fútbol de Honduras - www.fenafuth.org

Honduras
Honduras
Honduras
Honduras
Honduras
Honduras
Honduras
Honduras
Honduras
Гондурас

2014 FIFA World Cup Brazil™

North, Central America and Caribbean • Nord- und Mittelamerika • Amérique du Nord, centrale et Caraïbes • America Centro-Nord e Caraibi • Noord- en Midden- Amerika en het Caribisch gebied • América del Norte, Centroamérica y Caribe • América do Norte, Central e Caribe • Kuzey ve Orta Amerika ve Karayipler • Ameryki Północnej, Środkowej i Karaibów • Северной и Центральной Америки и стран Карибского бассейна

Round Runde Tour Turno Ronde Vuelta Turno Tur Runda раунд		3	
Gr. C	HONDURAS-PANAMÁ	0-2	0-0
	CANADA-HONDURAS	0-0	1-8
	CUBA-HONDURAS	0-3	0-1

HON	6	3	2	1	12:3	11
PAN	6	3	2	1	6:2	11
CAN	6	3	1	2	6:10	10
CUB	6	0	1	5	1:10	1

Round Runde Tour Turno Ronde Vuelta Turno Tur Runda раунд		4	
	HONDURAS-USA	2-1	0-1
	HONDURAS-MÉXICO	2-2	2-1
	PANAMÁ-HONDURAS	2-0	2-2
	COSTA RICA-HONDURAS	1-0	0-1
	HONDURAS-JAMAICA	2-0	2-2

USA	10	7	1	2	15:8	22
CRC	10	5	3	2	13:7	18
HON	10	4	3	3	13:12	15
MEX	10	2	5	3	7:9	11
PAN	10	1	5	4	10:14	8
JAM	10	0	5	5	5:13	5

Honduras Honduras Honduras Honduras Honduras Honduras Honduras Honduras Honduras Гондурас

Group Gruppe Groupe Gruppo Groep Grupo Grupo Grup Grupa Группа

BRAYAN BECKELES

JORGE CLAROS

OSMAN CHÁVEZ

BONIEK GARCÍA

ROGER ESPINOZA

LUIS GARRIDO

WILSON PALACIOS

ANDY NAJAR

JERRY PALACIOS

MARVIN CHÁVEZ

JERRY BENGTSON

CARLO COSTLY

Argentina

F Group Gruppe Groupe Gruppo Groep Grupo Grupo Grup Grupa Группа

(ARG) (BIH) (IRN) (NGA)

Rio de Janeiro 15-6-2014

ARGENTINA	
Bosna i Hercegovina	

Belo Horizonte 21-6-2014

ARGENTINA	
Iran	

Porto Alegre 25-6-2014

Nigeria	
ARGENTINA	

Argentina Argentinien Argentine Argentina Argentinië Argentina Argentina Arjantin Argentyna Аргентина

(ARG) → **Asociación del Fútbol Argentino - www.afa.org.ar**

- Argentina
- Argentinien
- Argentine
- Argentina
- Argentinië
- Argentina
- Argentina
- Arjantin
- Argentyna
- Аргентина

2014 FIFA World Cup Brazil™

South America • Südamerika • Amérique du Sud • Sudamerica • Zuid-Amerika • Sudamérica • América do Sul • Güney Amerika • Ameryka Południowa • Южная Америка

ARGENTINA-CHILE	4-1	2-1
VENEZUELA-ARGENTINA	1-0	0-3
ARGENTINA-BOLIVIA	1-1	1-1
COLOMBIA-ARGENTINA	1-2	0-0
ARGENTINA-ECUADOR	4-0	1-1
ARGENTINA-PARAGUAY	3-1	5-2
PERÚ-ARGENTINA	1-1	1-3
ARGENTINA-URUGUAY	3-0	2-3

ARG	16	9	5	2	35:15	32
COL	16	9	3	4	27:13	30
CHI	16	9	1	6	29:25	28
ECU	16	7	4	5	20:16	25
URU	16	7	4	5	25:25	25
VEN	16	5	5	6	14:20	20
PER	16	4	3	9	17:26	15
BOL	16	2	6	8	17:30	12
PAR	16	3	3	10	17:31	12

ARGENTINA

Argentina Argentinien Argentine Argentina Argentinië Argentina Argentina Arjantin Argentyna Аргентина

Group Gruppe Groupe Gruppo Groep Grupo Grupo Grup Grupa Группа

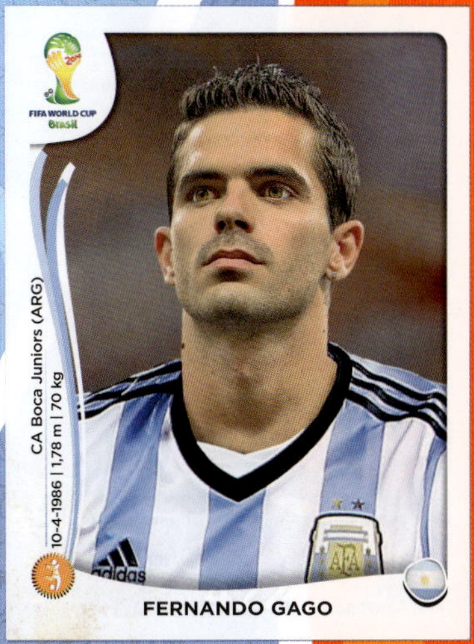

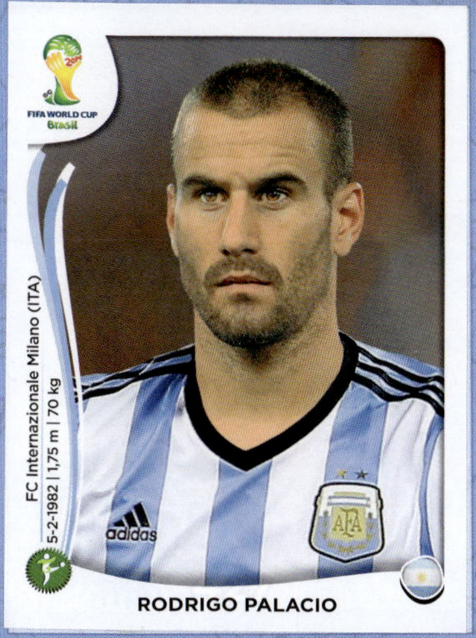

Bosna i Hercegovina

Bosnia-Herzegovina Bosnien-Herzegowina Bosnie-Herzégovine Bosnia-Erzegovina Bosnië en Herzegovina
Bosnia-Herzegovina Bósnia-Herzegovina Bosna Hersek Bośnia-Hercegowina Босния и Герцеговина

F Group Gruppe Groupe Gruppo Groep Grupo Grupo Grup Grupa Группа

(ARG) (BIH) (IRN) (NGA)

Rio de Janeiro 15-6-2014

Argentina	
BOSNA I HERCEGOVINA	

Cuiabá 21-6-2014

Nigeria	
BOSNA I HERCEGOVINA	

Salvador 25-6-2014

BOSNA I HERCEGOVINA	
Iran	

(BIH) → **Nogometni/Fudbalski Savez Bosne i Hercegovine - www.nfsbih.ba**

Bosnia-Herzegovina
Bosnien-Herzegowina
Bosnie-Herzégovine
Bosnia-Erzegovina
Bosnië en Herzegovina
Bosnia-Herzegovina
Bósnia-Herzegovina
Bosna Hersek
Bośnia-Hercegowina
Босния и Герцеговина

2014 FIFA World Cup Brazil™

Europe • Europa • Europe • Europa • Europa • Europa • Europa • Avrupa • Europa • Европа

Group Gruppe Groupe Gruppo Groep Grupo Grupo Grup Grupa Группа		G
LIECHTENSTEIN-**BOSNA I HERCEGOVINA**	1-8	1-4
BOSNA I HERCEGOVINA-LATVIJA	4-1	5-0
HELLAS-**BOSNA I HERCEGOVINA**	0-0	1-3
BOSNA I HERCEGOVINA-LIETUVA	3-0	1-0
BOSNA I HERCEGOVINA-SLOVENSKÁ REP.	0-1	2-1

BIH	10	8	1	1	30:6	25
GRE	10	8	1	1	12:4	25
SVK	10	3	4	3	11:10	13
LTU	10	3	2	5	9:11	11
LVA	10	2	2	6	10:20	8
LIE	10	0	2	8	4:25	2

BOSNA I HERCEGOVINA

Bosnia-Herzegovina Bosnien-Herzegowina Bosnie-Herzégovine Bosnia-Erzegovina Bosnië en Herzegovina
Bosnia-Herzegovina Bósnia-Herzegovina Bosna Hersek Bośnia-Hercegowina Босния и Герцеговина

Group Gruppe Groupe Gruppo Groep Grupo Grupo Grup Grupa Группа

SEAD KOLAŠINAC

SENAD LULIĆ

SENIJAD IBRIČIĆ

MENSUR MUJDŽA

HARIS MEDUNJANIN

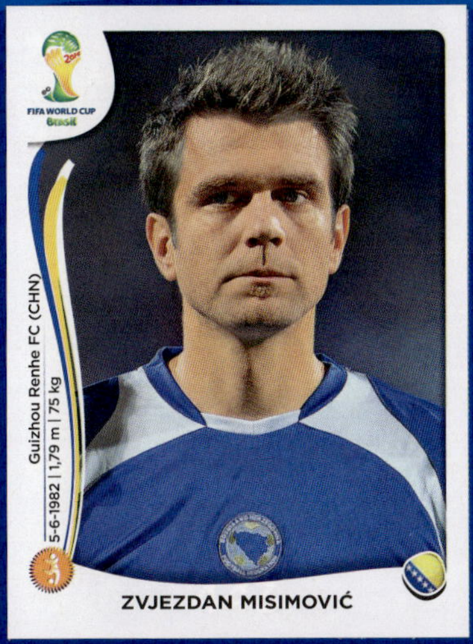

ZVJEZDAN MISIMOVIĆ

MIRALEM PJANIĆ

SEJAD SALIHOVIĆ

MUHAMED BEŠIĆ

IZET HAJROVIĆ

VEDAD IBIŠEVIĆ

EDIN DŽEKO

Group Gruppe Groupe
Gruppo Groep Grupo Grupo
Grup Grupa Группа

F

Iran Iran Iran Iran Irán Irã İran Iran Иран

(ARG) (BIH) (IRN) (NGA)

Curitiba	16-6-2014
IRAN	
Nigeria	

Belo Horizonte	21-6-2014
Argentina	
IRAN	

Salvador	25-6-2014
Bosna i Hercegovina	
IRAN	

Iran

(IRN) → Football Federation Islamic Republic of Iran - www.ffiri.ir

Iran
Iran
Iran
Iran
Iran
Irán
Irã
İran
Iran
Иран

2014 FIFA World Cup Brazil™

Asia • Asien • Asie • Asia • Azië • Asia • Ásia • Asya • Azja • Азия

Round Runde Tour Turno Ronde Vuelta Turno Tur Runda раунд		2	
	IRAN-MALDIVES	4-0	1-0

Round Runde Tour Turno Ronde Vuelta Turno Tur Runda раунд		3	
Gr. E	IRAN-INDONESIA	3-0	4-1
	QATAR-IRAN	1-1	2-2
	IRAN-BAHRAIN	6-0	1-1

IRN	6	3	3	0	17:5	12
QAT	6	2	4	0	10:5	10
BHR	6	2	3	1	13:7	9
IDN	6	0	0	6	3:26	0

Round Runde Tour Turno Ronde Vuelta Turno Tur Runda раунд		4	
Gr. A	UZBEKISTAN-IRAN	0-1	1-0
	IRAN-QATAR	0-0	1-0
	LEBANON-IRAN	1-0	0-4
	IRAN-KOREA REPUBLIC	1-0	1-0

IRN	8	5	1	2	8:2	16
KOR	8	4	2	2	13:7	14
UZB	8	4	2	2	11:6	14
QAT	8	2	1	5	5:13	7
LIB	8	1	2	5	3:12	5

Iran Iran Iran Iran Iran Irán Irã İran Iran Иран

Group Gruppe Groupe Gruppo Groep Grupo Grupo Grup Grupa Группа

Sepahan Isfahan FC (IRN)
25-2-1990 | 1,76 m | 74 kg
EHSAN HAJSAFI

Esteghlal FC (IRN)
22-1-1984 | 1,89 m | 80 kg
HASHEM BEIKZADEH

Esteghlal FC (IRN)
6-9-1981 | 1,88 m | 80 kg
AMIR HOSSEIN SADEGHI

Kuwait SC (KUW)
7-9-1980 | 1,86 m | 78 kg
JAVAD NEKOUNAM

Esteghlal FC (IRN)
6-3-1983 | 1,80 m | 76 kg
ANDRANIK TEYMOURIAN

Vancouver Whitecaps FC (CAN)
1-2-1987 | 1,78 m | 76 kg
STEVEN BEITASHOUR

UD Las Palmas (ESP)
9-6-1984 | 1,84 m | 79 kg
MASOUD SHOJAEI

Fulham FC (ENG)
5-7-1986 | 1,81 m | 79 kg
ASHKAN DEJAGAH

Charlton Athletic FC (ENG)
20-9-1987 | 1,81 m | 79 kg
REZA GHOOCHANNEJHAD

Persepolis FC (IRN)
26-2-1987 | 1,81 m | 70 kg
MEHRDAD POOLADI

Tractor Sazi FC (IRN)
3-4-1990 | 1,81 m | 77 kg
KARIM ANSARIFARD

NEC Nijmegen (NED)
8-10-1993 | 1,80 m | 75 kg
ALIREZA JAHANBAKHSH

Group Gruppe Groupe Gruppo Groep Grupo Grupo Grup Grupa Группа **F**

Nigeria Nigeria Nigeria Nigeria Nigeria Nigeria Nigéria Nijerya Nigeria Нигерия

(ARG) (BIH) (IRN) (NGA)

Curitiba	16-6-2014
Iran	
NIGERIA	

Cuiabá	21-6-2014
NIGERIA	
Bosna i Hercegovina	

Porto Alegre	25-6-2014
NIGERIA	
Argentina	

Nigeria

(NGA) → **Nigeria Football Federation - www.cafonline.com/association/nigeria**

Nigeria
Nigeria
Nigeria
Nigeria
Nigeria
Nigeria
Nigéria
Nijerya
Nigeria
Нигерия

2014 FIFA World Cup Brazil™

Africa • Afrika • Afrique • Africa • Afrika • Africa • África • Afrika • Afryka • Африка

Round Runde Tour Turno Ronde Vuelta Turno Tur Runda раунд		2	
Gr. F	NIGERIA-NAMIBIA	1-0	1-1
	MALAWI-NIGERIA	1-1	0-2
	NIGERIA-KENYA	1-1	1-0

Play-off match Entscheidungsspiel Barrage Spareggio Beslissingwedstrijd Desempate Desempate Eleme turları Dogrywka Плэй-оф			
	ETHIOPIA-NIGERIA	1-2	0-2

NGA	6	3	3	0	7:3	12
MWI	6	1	4	1	4:5	7
KEN	6	1	3	2	4:5	6
NAM	6	1	2	3	2:4	5

VINCENT ENYEAMA

JOSEPH YOBO

EFE AMBROSE

GODFREY OBOABONA

ELDERSON ECHIÉJILÉ

AZUBUIKE EGWUEKWE

KENNETH OMERUO

KUNLE ODUNLAMI

MIKEL JOHN OBI

OGENYI ONAZI

REUBEN GABRIEL

VICTOR MOSES

PETER ODEMWINGIE

AHMED MUSA

UCHE NWOFOR

SHOLA AMEOBI

EMMANUEL EMENIKE

Deutschland

G Group Gruppe Groupe Gruppo Groep Grupo Grupo Grup Grupa Группа

Germany Deutschland Allemagne Germania Duitsland Alemania Alemanha Almanya Niemcy Германия

(GER) (POR) (GHA) (USA)

Salvador	16-6-2014
DEUTSCHLAND	
Portugal	

Fortaleza	21-6-2014
DEUTSCHLAND	
Ghana	

Recife	26-6-2014
USA	
DEUTSCHLAND	

(GER) → Deutscher Fußball-Bund - www.dfb.de

2014 FIFA World Cup Brazil™

DEUTSCHER FUSSBALL-BUND

DEUTSCHLAND

Germany
Deutschland
Allemagne
Germania
Duitsland
Alemania
Alemanha
Almanya
Niemcy
Германия

2014 FIFA World Cup Brazil™

Europe • Europa • Europe • Europa • Europa • Europa • Europa • Avrupa • Europa • Европа

Group Gruppe Groupe Gruppo Groep Grupo Grupo Grup Grupa Группа	C	
DEUTSCHLAND-FØROYAR	3-0	3-0
ÖSTERREICH-DEUTSCHLAND	1-2	0-3
REP. OF IRELAND-DEUTSCHLAND	1-6	0-3
DEUTSCHLAND-SVERIGE	4-4	5-3
KAZAKHSTAN-DEUTSCHLAND	0-3	1-4

GER	10	9	1	0	36:10	28
SWE	10	6	2	2	19:14	20
AUT	10	5	2	3	20:10	17
IRL	10	4	2	4	16:17	14
KAZ	10	1	2	7	6:21	5
FRO	10	0	1	9	4:29	1

DEUTSCHLAND

Germany Deutschland Allemagne Germania Duitsland Alemania Alemanha Almanya Niemcy Германия

Group Gruppe Groupe Gruppo Groep Grupo Grupo Grup Grupa Группа

Portugal

Group Gruppe Groupe Gruppo Groep Grupo Grupo Grup Grupa Группа **G**

(GER) (POR) (GHA) (USA)

Salvador 16-6-2014

Deutschland	
PORTUGAL	

Manaus 22-6-2014

USA	
PORTUGAL	

Brasília 26-6-2014

PORTUGAL	
Ghana	

Portugal Portugal Portugal Portogallo Portugal Portugal Portugal Portekiz Portugalia Португалия

(POR) → Federação Portuguesa de Futebol - www.fpf.pt

PORTUGAL

Portugal
Portugal
Portugal
Portogallo
Portugal
Portugal
Portugal
Portekiz
Portugalia
Португалия

PORTUGAL

RUI PATRÍCIO

2014 FIFA World Cup Brazil™

Europe • Europa • Europe • Europa • Europa • Europa • Europa • Avrupa • Europa • Европа

Group Gruppe Groupe Gruppo Groep Grupo Grupo Grup Grupa Группа **F**		
LUXEMBOURG-**PORTUGAL**	1-2	0-3
PORTUGAL-AZERBAIJAN	3-0	2-0
RUSSIA-**PORTUGAL**	1-0	0-1
PORTUGAL-NORTHERN IRELAND	1-1	4-2
ISRAEL-**PORTUGAL**	3-3	1-1

Play-off match Entscheidungsspiel Barrage Spareggio Beslissingwedstrijd Desempate Desempate Eleme turları Dogrywka Плэй-оф		
PORTUGAL-SVERIGE	1-0	3-2

RUS	10	7	1	2	20:5	22
POR	10	6	3	1	20:9	21
ISR	10	3	5	2	19:14	14
AZE	10	1	6	3	7:11	9
NIR	10	1	4	5	9:17	7
LUX	10	1	3	6	7:26	6

PEPE

BRUNO ALVES

JOÃO PEREIRA

FÁBIO COENTRÃO

Portugal Portugal Portugal Portogallo Portugal Portugal Portugal Portekiz Portugalia Португалия

Group Gruppe Groupe Gruppo Groep Grupo Grupo Grup Grupa Группа

G Group Gruppe Groupe Gruppo Groep Grupo Grupo Grup Grupa Группа

(GER) (POR) (GHA) (USA)

Natal	16-6-2014
GHANA	
USA	

Fortaleza	21-6-2014
Deutschland	
GHANA	

Brasília	26-6-2014
Portugal	
GHANA	

Ghana Ghana Ghana Ghana Ghana Gana Gana Ghana Гана

Ghana

(GHA) → Ghana Football Association - www.ghanafa.org

Ghana
Ghana
Ghana
Ghana
Ghana
Ghana
Gana
Gana
Ghana
Гана

2014 FIFA World Cup Brazil™

Africa • Afrika • Afrique • Africa • Afrika • Africa • África • Afrika • Afryka • Африка

Round Runde Tour Turno Ronde Vuelta Turno Tur Runda раунд			2
Gr. D	GHANA-LESOTHO	7-0	2-0
	ZAMBIA-GHANA	1-0	1-2
	GHANA-SUDAN	4-0	3-1

GHA	6	5	0	1	18:3	15
ZAM	6	3	2	1	11:4	11
LES	6	1	2	3	4:15	5
SUD	6	0	2	4	3:14	2

Play-off match Entscheidungsspiel Barrage Spareggio Beslissingwedstrijd Desempate Desempate Eleme turları Dogrywka Плэй-оф			
	GHANA-EGYPT	6-1	1-2

GHANA

Ghana Ghana Ghana Ghana Ghana Ghana Gana Gana Ghana Гана

Group Gruppe Groupe Gruppo Groep Grupo Grupo Grup Grupa Группа

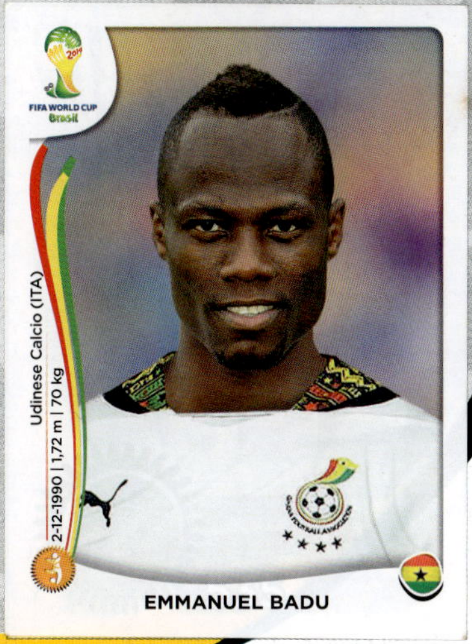

USA USA États-Unis Stati Uniti USA Estados Unidos Estados Unidos ABD USA США

G Group Gruppe Groupe Gruppo Groep Grupo Grupo Grup Grupa Группа

(GER) (POR) (GHA) (USA)

Natal	16-6-2014
Ghana	
USA	

Manaus	22-6-2014
USA	
Portugal	

Recife	26-6-2014
USA	
Deutschland	

USA

(USA) → United States Soccer Federation - www.ussoccer.com

USA
USA
États-Unis
Stati Uniti
USA
Estados Unidos
Estados Unidos
ABD
USA
США

2014 FIFA World Cup Brazil™

North, Central America and Caribbean • Nord- und Mittelamerika • Amérique du Nord, centrale et Caraïbes • America Centro-Nord e Caraibi • Noord- en Midden- Amerika en het Caribisch gebied • América del Norte, Centroamérica y Caribe • América do Norte, Central e Caribe • Kuzey ve Orta Amerika ve Karayipler • Ameryki Północnej, Środkowej i Karaibów • Северной и Центральной Америки и стран Карибского бассейна

Round Runde Tour Turno Ronde Vuelta Turno Tur Runda раунд 3			
Gr. A	USA-ANTIGUA AND BARBUDA	3-1	2-1
	GUATEMALA-USA	1-1	1-3
	JAMAICA-USA	2-1	0-1

USA	6	4	1	1	11:6	13
JAM	6	3	1	2	9:6	10
GUA	6	3	1	2	9:8	10
ATG	6	0	1	5	4:13	1

Round Runde Tour Turno Ronde Vuelta Turno Tur Runda раунд 4		
HONDURAS-USA	2-1	0-1
USA-COSTA RICA	1-0	1-3
MÉXICO-USA	0-0	0-2
JAMAICA-USA	1-2	0-2
USA-PANAMÁ	2-0	3-2

USA	10	7	1	2	15:8	22
CRC	10	5	3	2	13:7	18
HON	10	4	3	3	13:12	15
MEX	10	2	5	3	7:9	11
PAN	10	1	5	4	10:14	8
JAM	10	0	5	5	5:13	5

USA

USA USA États-Unis Stati Uniti USA Estados Unidos Estados Unidos ABD USA США

Group Gruppe Groupe Gruppo Groep Grupo Grupo Grup Grupa Группа

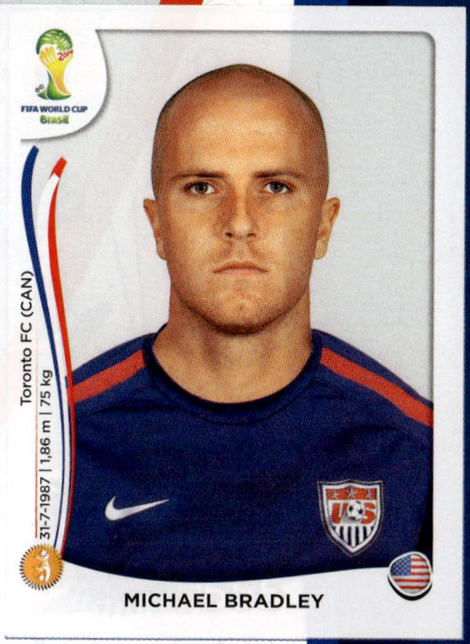

Belgique/België

H Group Gruppe Groupe Gruppo Groep Grupo Grupo Grup Grupa Группа

(BEL) (ALG) (RUS) (KOR)

Belo Horizonte **17-6-2014**

BELGIQUE/BELGIË	
Algérie	

Rio de Janeiro **22-6-2014**

BELGIQUE/BELGIË	
Russia	

São Paulo **26-6-2014**

Korea Republic	
BELGIQUE/BELGIË	

Belgium Belgien Belgique Belgio België Bélgica Bélgica Belçika Belgia Бельгия

(BEL) → **Union Royale Belge des Sociétés de Football-Association**
Koninklijke Belgische Voetbalbond - www.belgianfootball.be

BELGIQUE/BELGIË

Belgium
Belgien
Belgique
Belgio
België
Bélgica
Bélgica
Belçika
Belgia
Бельгия

BELGIQUE/BELGIË

2014 FIFA World Cup Brazil™

Europe • Europa • Europe • Europa • Europa • Europa • Europa • Avrupa • Europa • Европа

Group Gruppe Groupe Gruppo Groep Grupo Grupo Grup Grupa Группа		A
WALES-BELGIQUE/BELGIË	0-2	1-1
BELGIQUE/BELGIË-HRVATSKA	1-1	2-1
SRBIJA-BELGIQUE/BELGIË	0-3	1-2
BELGIQUE/BELGIË-SCOTLAND	2-0	2-0
FYR MAKEDONIJA-BELGIQUE/BELGIË	0-2	0-1

BEL	10	8	2	0	18:4	26
CRO	10	5	2	3	12:9	17
SRB	10	4	2	4	18:11	14
SCO	10	3	2	5	8:12	11
WAL	10	3	1	6	9:20	10
MKD	10	2	1	7	7:16	7

BELGIQUE BELGIË

THIBAUT COURTOIS

VINCENT KOMPANY

TOBY ALDERWEIRELD

JAN VERTONGHEN

DANIEL VAN BUYTEN

Belgium Belgien Belgique Belgio België Bélgica Bélgica Belçika Belgia Бельгия

Group Gruppe Groupe Gruppo Groep Grupo Grupo Grup Grupa Группа

Algérie

H Group Gruppe Groupe Gruppo Groep Grupo Grupo Grup Grupa Группа

(BEL) (ALG) (RUS) (KOR)

Algeria Algerien Algérie Algeria Algerije Argelia Argélia Cezayir Algieria Алжир

Belo Horizonte 17-6-2014

Belgique/België	
ALGÉRIE	

Porto Alegre 22-6-2014

Korea Republic	
ALGÉRIE	

Curitiba 26-6-2014

ALGÉRIE	
Russia	

(ALG) → **Fédération Algérienne de Football - www.faf.dz**

Algeria
Algerien
Algérie
Algeria
Algerije
Argelia
Argélia
Cezayir
Algieria
Алжир

2014 FIFA World Cup Brazil™

Africa • Afrika • Afrique • Africa • Afrika • Africa • África • Afrika • Afryka • Африка

Round Runde Tour Turno Ronde Vuelta Turno Tur Runda раунд		2	
Gr. H	ALGÉRIE-RWANDA	4-0	1-0
	MALI-ALGÉRIE	2-1	0-1
	ALGÉRIE-BENIN	3-1	3-1

Play-off match Entscheidungsspiel Barrage Spareggio Beslissingwedstrijd Desempate Desempate Eleme turları Dogrywka Плэй-оф			
	BURKINA FASO-ALGÉRIE	3-2	0-1

ALG	6	5	0	1	13:4	15
MLI	6	2	2	2	7:7	8
BEN	6	2	2	2	8:9	8
RWA	6	0	2	4	3:11	2

ALGÉRIE

Algeria Algerien Algérie Algeria Algerije Argelia Argélia Cezayir Algieria Алжир

Group Gruppe Groupe Gruppo Groep Grupo Grupo Grup Grupa Группа

AC Ajaccio (FRA)
30-8-1983 | 1,81 m | 82 kg

MEHDI MOSTEFA

SSC Napoli (ITA)
1-2-1991 | 1,86 m | 80 kg

FAOUZI GHOULAM

Watford FC (ENG)
1-1-1989 | 1,90 m | 88 kg

ESSAID BELKALEM

Udinese Calcio (ITA)
14-5-1984 | 1,87 m | 77 kg

HASSAN YEBDA

Getafe CF (ESP)
15-3-1984 | 1,76 m | 69 kg

MEHDI LACEN

Granada CF (ESP)
8-2-1990 | 1,75 m | 67 kg

YACINE BRAHIMI

FC Internazionale Milano (ITA)
29-2-1992 | 1,80 m | 73 kg

SAPHIR TAIDER

Valencia CF (ESP)
26-12-1989 | 1,77 m | 71 kg

SOFIANE FEGHOULI

Tottenham Hotspur FC (ENG)
24-11-1994 | 1,87 m | 68 kg

NABIL BENTALEB

FC Porto (POR)
20-4-1990 | 1,83 m | 85 kg

NABIL GHILAS

GNK Dinamo Zagreb (CRO)
25-11-1987 | 1,82 m | 75 kg

EL ARBI SOUDANI

Sporting Clube de Portugal (POR)
18-6-1988 | 1,86 m | 75 kg

ISLAM SLIMANI

Russia Russland Russie Russia Rusland Rusia Rússia Rusya Rosja Россия

H Group Gruppe Groupe Gruppo Groep Grupo Grupo Grup Grupa Группа

(BEL) (ALG) (RUS) (KOR)

Cuiabá **17-6-2014**

RUSSIA	
Korea Republic	

Rio de Janeiro **22-6-2014**

Belgique/België	
RUSSIA	

Curitiba **26-6-2014**

Algérie	
RUSSIA	

Russia

(RUS) → Football Union of Russia - www.rfs.ru

Russia
Russland
Russie
Russia
Rusland
Rusia
Rússia
Rusya
Rosja
Россия

2014 FIFA World Cup Brazil™

Europe • Europa • Europe • Europa • Europa • Europa • Europa • Avrupa • Europa • Европа

Group Gruppe Groupe Gruppo Groep Grupo Grupo Grup Grupa Группа	F	
RUSSIA-NORTHERN IRELAND	2-0	0-1
ISRAEL-RUSSIA	0-4	1-3
RUSSIA-PORTUGAL	1-0	0-1
RUSSIA-AZERBAIJAN	1-0	1-1
RUSSIA-LUXEMBOURG	4-1	4-0

RUS	10	7	1	2	20:5	22
POR	10	6	3	1	20:9	21
ISR	10	3	5	2	19:14	14
AZE	10	1	6	3	7:11	9
NIR	10	1	4	5	9:17	7
LUX	10	1	3	6	7:26	6

RUSSIA

Russia Russland Russie Russia Rusland Rusia Rússia Rusya Rosja Россия

Group Gruppe Groupe Gruppo Groep Grupo Grupo Grup Grupa Группа H

H Group Gruppe Groupe Gruppo Groep Grupo Grupo Grup Grupa Группа

(BEL) (ALG) (RUS) (KOR)

Cuiabá	17-6-2014
Russia	
KOREA REPUBLIC	

Porto Alegre	22-6-2014
KOREA REPUBLIC	
Algérie	

São Paulo	26-6-2014
KOREA REPUBLIC	
Belgique/België	

Korea Republic Südkorea Corée du Sud Corea del Sud Zuid-Korea Corea del Sur Coreia do Sul Güney Kore Korea Południowa Республика Корея

Korea Republic

(KOR) → Korea Football Association - www.kfa.or.kr

Korea Republic
Südkorea
Corée du Sud
Corea del Sud
Zuid-Korea
Corea del Sur
Coreia do Sul
Güney Kore
Korea Południowa
Республика Корея

2014 FIFA World Cup Brazil™

Asia • Asien • Asie • Asia • Azië • Asia • Ásia • Asya • Azja • Азия

Round Runde Tour Turno Ronde Vuelta Turno Tur Runda раунд 3			
Gr. B	KOREA REPUBLIC-LEBANON	6-0	1-2
	KUWAIT-KOREA REPUBLIC	1-1	0-2
	KOREA REPUBLIC-UNITED ARAB EMIRATES	2-1	2-0

KOR	6	4	1	1	14:4	13
LIB	6	3	1	2	10:14	10
KUW	6	2	2	2	8:9	8
UAE	6	1	0	5	9:14	3

Round Runde Tour Turno Ronde Vuelta Turno Tur Runda раунд 4			
Gr. A	QATAR-KOREA REPUBLIC	1-4	1-2
	KOREA REPUBLIC-LEBANON	3-0	1-1
	UZBEKISTAN-KOREA REPUBLIC	2-2	0-1
	IRAN-KOREA REPUBLIC	1-0	1-0

IRN	8	5	1	2	8:2	16
KOR	8	4	2	2	13:7	14
UZB	8	4	2	2	11:6	14
QAT	8	2	1	5	5:13	7
LIB	8	1	2	5	3:12	5

KOREA REPUBLIC

Korea Republic Südkorea Corée du Sud Corea del Sud Zuid-Korea Corea del Sur Coreia do Sul Güney Kore Korea Południowa Республика Корея

Group Gruppe Groupe Gruppo Groep Grupo Grupo Grup Grupa Группа

FAIR PLAY
BRASIL 2014
©FIFA™
Johnson & Johnson
UNIÃO
©FIFA™
Johnson & Johnson
AMIZADE
©FIFA™
Johnson & Johnson
ESPERANÇA
BRASIL 2014
©FIFA™
Johnson & Johnson
Johnson & Johnson
patrocinador oficial
de cuidados com a saúde
FIFA WORLD CUP
Brasil
carinho
inspira
carinho™

A MAIOR COBERTURA DA HISTÓRIA NA TV BRASILEIRA.
SE LIGA!
O CANAL CAMPEÃO VAI DAR SHOW DE BOLA NESSA COPA!
CURTA MUUUUUUUUUUITO!!!
PRESENÇA DA EQUIPE EM TODAS AS CIDADES-SEDE, ESTÁDIOS E JOGOS!
COBERTURA 24 HORAS AO VIVO! BOLÃO CAMPEÃO! APP 2ª TELA COM MULTICÂMERA!*
CRAQUES DO JORNALISMO AO LADO DE GRANDES ESTRELAS DO FUTEBOL MUNDIAL!
CORRESPONDENTES INTERNACIONAIS. ESTÚDIO FUTURISTA NA ILHA FISCAL-RJ.
* DISPONÍVEL APENAS PARA OS ASSINANTES DO SPORTV

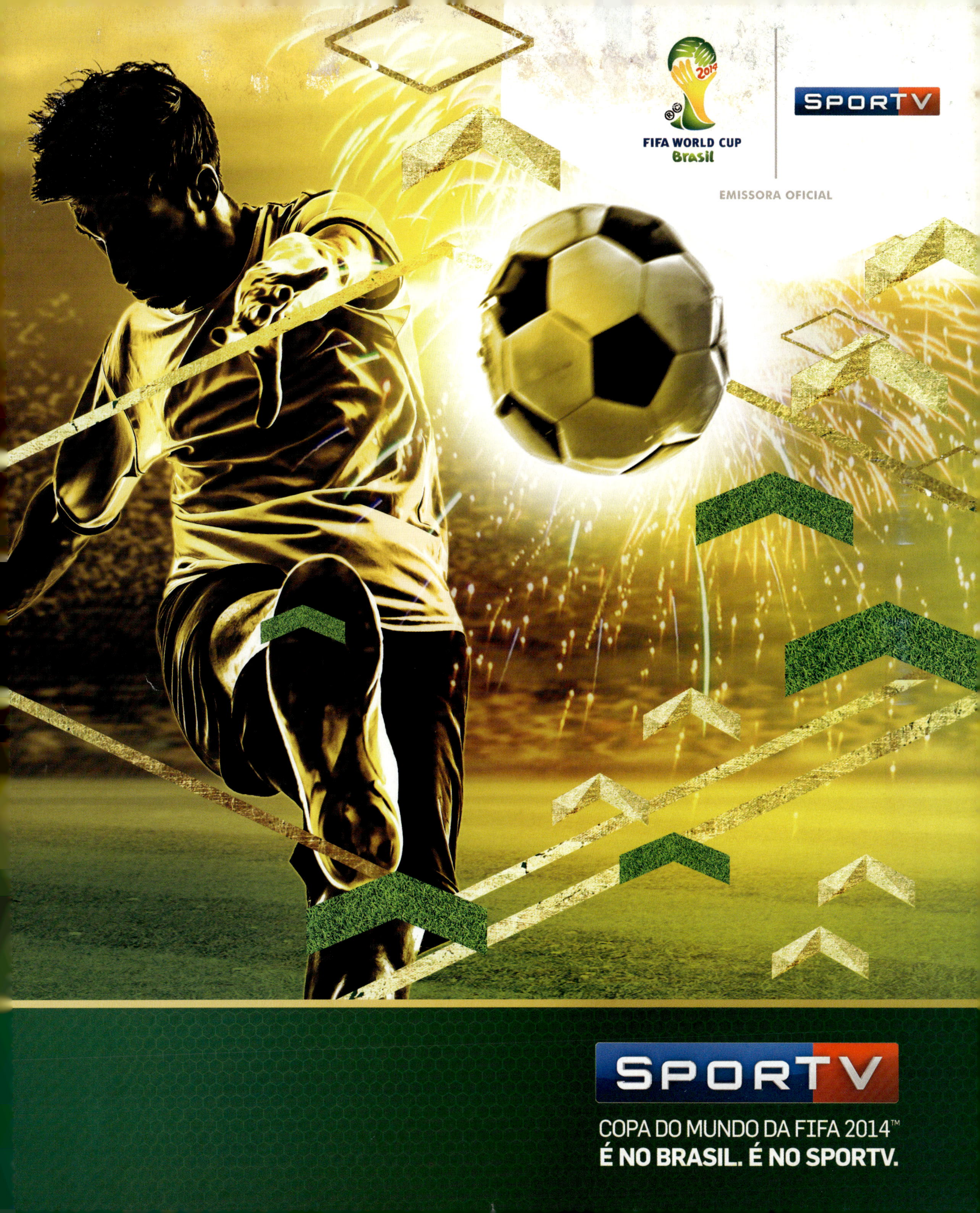
FIFA WORLD CUP
Brasil
EMISSORA OFICIAL
COPA DO MUNDO DA FIFA 2014™
É NO BRASIL. É NO SPORTV.

FIFA.com
PUTTING YOU AT THE HEART OF THE GAME.
Be at the heart of the action during Brazil 2014 – anywhere, anytime – following it all with FIFA.com, the FIFA App, FIFA on YouTube, as well as on Twitter and Facebook!
FIFA®
For the Game. For the World.

FIFA WORLD CUP Brasil
OFFICIAL LICENSED PRODUCT

visit WWW.FIFA.COM/store today

to shop

PANINI

and other 2014 FIFA World Cup Brazil™ officially licensed products!

FIFA World Cup™

Records | Rekorde | Statistiques | Record | Records | Records | Recordes | Rekorlar | Rekordy | Рекорды

Most appearances (team)
19
Brasil

Most tournaments played (player)
5 Antonio Carbajal (México, 1950-1966)
5 Lothar Matthäus (Deutschland, 1982-1998)

Most wins (player)
3
Pelé (Brasil, 1958/1962/1970)

Youngest player
17 years 41 days
Norman Whiteside (Northern Ireland vs Jugoslavija, 1982)

Fastest goal from kickoff
11 seconds
Hakan Şükür (Türkiye vs Korea Republic, 2002)

Most goals in a tournament (player)
13
Just Fontaine (France, 1958)

Oldest player
42 years 39 days
Roger Milla (Cameroun vs Russia, 1994)

Most goals (player)
15
Ronaldo (Brasil, 1998-2006)

Most goals scored in a match (player)
5
Oleg Salenko (Russia vs Cameroun, 1994)

Most consecutive minutes without conceding a goal
517
Walter Zenga (Italia, 1990)

Most goals scored in a match
12
(Österreich vs Switzerland 7-5, 1954)

Biggest victory
10-1
(Magyarország vs El Salvador, 1982)

Most wins (team)
5
Brasil

Most minutes played (player)
2217
Paolo Maldini (Italia, 1990-2002)

Most matches played (player)
25
Lothar Matthäus (Deutschland, 1982-1998)

• Most appearances (team) • Meiste Teilnahmen (Mannschaft) • Équipes comptant le plus de participations à la compétition • Squadre più presenti • Meeste wedstrijden (team) • Equipos con más torneos disputados • Equipes com mais torneios disputados • Turnuvaya en çok katılan takım • Najwięcej występów (drużyna) • Наибольшее число игр (команда)

• Most wins (team) • Meiste Siege (Mannschaft) • Équipes ayant remporté le plus de victoires • Squadre plurivincitrici • Meeste overwinningen (team) • Equipos con más victorias • Equipes com mais vitórias • En çok galip gelen takım • Najwięcej zwycięstw (drużyna) • Наибольшее число побед (команда)

• Most tournaments played (player) • Meiste Turnierteilnahmen (Spieler) • Joueurs comptant le plus de participations à la compétition • Giocatori con più partecipazioni • Meeste toernooien gespeeld (speler) • Jugadores con más torneos disputados • Jogadores com mais torneios disputados • Turnuvaya en çok katılan oyuncu • Udział w największej liczbie turniejów (piłkarz) • Наибольшее число сыгранных турниров (игрок)

• Most wins (players) • Meiste gewonnene Spiele (Spieler) • Joueur vainqueur du plus grand nombre de compétitions • Giocatore vincitore di più tornei • Meeste gewonnen (spelers) • Jugador con más victorias • Jogador com mais vitórias • En çok maç kazanan oyuncu • Najwięcej zwycięstw (gracz) • Наибольшее число побед (игроки)

• Most matches played (player) • Meiste Spiele (Spieler) • Joueurs comptant le plus grand nombre de matchs • Giocatori con più presenze • Meeste gespeelde wedstrijden (speler) • Jugador con más partidos disputados • Jogador com mais jogos disputados • En çok maça çıkan • Największa liczba rozegranych meczy (piłkarz) • Наибольшее число сыгранных матчей (игрок)

• Most minutes played (player) • Meiste Spielminuten (Spieler) • Joueurs comptant le plus de minutes jouées • Giocatori con più minuti giocati • Meeste minuten gespeeld (speler) • Jugador con más minutos disputados • Jogador com mais minutos disputados • En uzun süre oynayan • Najwięcej minut w grze (piłkarz) • Наибольшее количество отыгранных минут (игрок)

• Most goals (player) • Meiste Tore (Spieler) • Les meilleurs buteurs • Giocatori con più reti • Meeste doelpunten (speler) • Jugadores con más goles marcados • Jogadores com mais gols marcados • En çok gol atan • Najwięcej goli (piłkarz) • Наибольшее число голов (игрок)

• Youngest player • Jüngster Spieler • Le joueur le plus jeune • Giocatore più giovane • Jongste speler • Jugador más joven • Jogador mais jovem • En genç oyuncu • Najmłodszy gracz • Самый молодой игрок

• Oldest player • Ältester Spieler • Le joueur le plus âgé • Giocatore più vecchio • Oudste speler • Jugador más veterano • Jogador mais velho • En yaşlı oyuncu • Najstarszy gracz • Самый старший игрок

• Most goals in a tournament (player) • Meiste Tore in einem Turnier (Spieler) • Joueur ayant inscrit le plus grand nombre de buts lors d'une seule compétition • Giocatore che ha segnato più gol in un singolo torneo • Meeste doelpunten gescoord in een toernooi (speler) • Jugador que ha marcado más goles en un solo torneo • Jogador com o maior número de gols marcados num torneio • Turnuva gol kralı • Najwięcej zdobytych bramek w turnieju (piłkarz) • Наибольшее число голов за турнир (игрок)

• Most goals scored in a match (player) • Meiste Tore in einem Spiel (Spieler) • Joueur ayant inscrit le plus grand nombre de buts en un seul match • Giocatore che ha segnato più gol in una partita • Meeste doelpunten gescoord in een wedstrijd (speler) • Jugador que ha marcado más goles en un solo partido • Jogador com o maior numero de gols marcados em apenas um jogo • Bir maçta en çok gol atan • Najwięcej zdobytych bramek w czasie meczu (piłkarz) • Наибольшее число голов за матч (игрок)

• Biggest victory • Höchster Sieg • La plus grande victoire • Vittoria più ampia • Grootste overwinning • Victoria más amplia • Vitória mais ampla • En büyük zafer • Największe zwycięstwo • Самая большая победа

• Most goals scored in a match • Spiel mit den meisten Toren • Le match comptant le plus grand nombre de buts marqués • Partita con più gol • Meeste doelpunten gescoord in een wedstrijd • Partido con más goles • Jogo com maior número de gols • Bir maçta atılan en çok gol • Mecz z największą liczbą goli • Наибольшее число голов за матч

• Fastest goal from kickoff • Schnellstes Tor • Le but le plus rapide • Gol più veloce • Snelste doelpunt • Gol más rápido • Gol mais rápido • En hızlı gol • Najszybciej zdobyty gol • Самый быстро забитый гол

• Most consecutive minutes without conceding a goal • Meiste Minuten in Folge ohne Gegentor • Gardien détenant le record d'invincibilité • Portiere con la più lunga imbattibilità • Meeste minuten zonder een tegendoelpunt • Portero con el record de imbatibilidad • Goleiro com recorde de invencibilidade • Gol yemeden en uzun süre dayanan • Najwięcej minut bez utraty gola • Самый долгий промежуток времени без пропущенных мячей

2014 FIFA World Cup Brazil™

OFFICIAL LICENSED **ALBUM STICKERS**

É FÁCIL COMPLETAR SUA COLEÇÃO!

FIFA WORLD CUP Brasil

OFFICIAL LICENSED PRODUCT

Se mesmo trocando os cromos repetidos com seus amigos o seu livro ilustrado ficou incompleto, você pode comprar os que faltam direto da Panini. É só seguir as instruções abaixo!

PEDIDOS PELA INTERNET

Acesse *www.torcidapanini.com.br*, clique em CROMOS FALTANTES e siga as instruções. O pagamento pode ser feito com **cartão de crédito ou boleto bancário**.

PREÇO: R$ 0,20 CADA CROMO + **R$ 6,50** PARA DESPESAS DE MANUSEIO E POSTAGEM. LIMITADO A **40** CROMOS POR PEDIDO

Esta é a maneira mais fácil e rápida de receber seus cromos.

Acompanhe a entrega do seu pedido pelo site **TORCIDAPANINI.COM.BR**

Serão aceitos pedidos até **DEZEMBRO/2014.**

ATENÇÃO! No seu pedido pelo site *www.torcidapanini.com.br* ou pelo correio, será necessário informar o código ao lado. **002648ABPR22**

PEDIDOS PELO CORREIO

Envie os números dos cromos faltantes e o **comprovante de depósito identificado** na conta abaixo com o mesmo CPF do seu pedido.

Caixa Postal 7502 - CEP 06298-970
Tamboré - Barueri - SP
Banco Bradesco (237)
Agência 3390-1
Conta corrente 9751-9

PREÇO: R$ 0,20 CADA CROMO + **R$ 8,00** PARA DESPESAS DE MANUSEIO E POSTAGEM. LIMITADO A **40** CROMOS POR CARTA

ATENÇÃO: NÃO ENVIE CHEQUE OU DINHEIRO.

Os atletas que estão no álbum são definidos por um grupo de profissionais da Panini que acompanha os trabalhos das seleções. Os critérios são baseados nas análises das convocações e das condições físicas e técnicas dos atletas. Portanto, os cromos podem não coincidir integralmente com as decisões finais das comissões técnicas de cada seleção.

PANINI

CNPJ 58.732.058/0001-00
Inscrição Estadual 206.183.400.112
Al. Caiapós, 425, CEP 06460-110,
Centro Empresarial Tamboré, Barueri - SP
Todos os direitos reservados.
Distribuído no país com exclusividade por FC Comercial e Distribuidora S/A.

Visite nosso site: www.panini.com.br

Diretor-Presidente: José Eduardo Severo Martins
Diretor Administrativo e Financeiro: Roberto Augusto Bezerra
Diretor Comercial, Marketing e Publicações: Marcio Borges
Assessor Divisão Futebol: Vilson Manfrinati

MARKETING
Gerente de Marketing: Marcelo Adriano da Silva
Analistas de Marketing: Luciene Araújo, Viviane Gaviolli

PLANEJAMENTO E CONTROLE DE PRODUÇÃO
Gerente Industrial: Edson Aprijo de Farias

EDITORIAL
Gerente de Publicações/Editor-Chefe: Érico Rodrigo Maioli Rosa
Editores Seniores: Emerson Agune, Levi Trindade
Editora-assistente: Tatiana Yoshizumi
Designers: Henrique Ozawa, Jaqueline de Lima, Marcos Rolando Sacchi, Tatiana Josefovich
Produção Editorial: Alex Yamaki
Auxiliar Administrativo: Amanda da Silva

Central de Atendimento 2014 FIFA WORLD CUP BRAZIL™: (11) 3614-1390. O Livro Ilustrado *2014 FIFA WORLD CUP BRAZIL™* é uma publicação da Panini Brasil Ltda.

©FIFA

PANINI

www.paninigroup.com